JN049135

500
フォロワーで
稼げる人

10万
フォロワーで
稼げない人

X集客の教科書

SNS集客スクール主宰
門口拓也
（もんぐち社長）

KADOKAWA

Contents

Chapter 3 「誰に発信するか」を明確にする

Chapter 4 5秒でフォローされるプロフィールをつくる

Chapter 5
成功者の「ワザ」を自分のものにする

Chapter 6
「心をつかむ投稿」を戦略的に発信する

Chapter 7
投稿文に入れるだけで反応される「鉄板ワード」

Chapter 8
今すぐマネできる投稿の型 81選

Chapter 9

ChatGPTのプロンプト集
～投稿を超効率化～

フォロワーの
反応を読み解く「分析入門」

Xで稼ぐ
4つの方法

装　丁	小口翔平＋阿部早紀子（tobufune）	校　正	鴎来堂	
本文デザイン	OKIKATA	Ｄ Ｔ Ｐ	アーティザンカンパニー	
イラスト	ヤギワタル	編　集	金城麻紀	

プロローグ

Xなら、どんな人でも稼げる

　本書を手に取っている方は、こんなことを考えたことがあるかもしれません。

「Xで稼ぐなんて、想像できない」
「Xで稼げるのは、フォロワー数が多いアカウントだけ」
「発信できることはないけど、SNSで稼いでいる人が羨ましい」

　しかし実際には、Xで稼ぐ方法は再現性が高く、どんな人でも少ないフォロワーで、お小遣い程度から本業以上までのお金を稼ぐことが可能です。

　X集客には、成功者しか知らない「勝ちパターン」があります。
　そして自己流で失敗する人には、共通の「負けパターン」があります。

　私はSNSマーケティングを教える会社を経営し、自らも「勝ちパターン」によって3年10ヶ月で5億円以上の売上を宣伝費ゼロでつくることができました。
　これは属人的なものではなく、私の生徒の88.9%はすでにX集客で売上をつくり出しています。

　売上が50倍になった、ハンドメイド商品を販売している2児のママ

さん。自己流の集客で失敗したあと一念発起して学び直し、フォロワー800名の獲得と200万円の売上を達成した方など、成功例は枚挙にいとまがありません。

最近ではイーロン・マスク氏の買収以降、サービス名称の変更や新機能の導入など、目まぐるしく変化しています。
本書では、その最新情報をお伝えすることはもちろん、サービスが変化しても確実に売上を生み出し続ける原理原則をお伝えします。

「SNSで稼いだことがない」という初心者の方から、「他のSNSを運用しているけど、もっと新規顧客を集めたい」という中級者以上の方まで満足していただけるよう、ノウハウをすべて詰め込みました。

今から実践できる具体的なワザを徹底解説

　X集客についての本は、すでに山のように出ています。しかし、それらを読んで実践しても、期待通りの集客を実現できる人はほんの一握りでしょう。

　なぜなら、説明が不足していたり抽象的なノウハウばかりが語られたりしている本が多いからです。せっかく行動に移しても多くの人が再現できず、挫折してしまうのは当然です。

　本書では、これまであまり語られることがなかった、成功者だけが知っている「具体的で実践的なXの完全攻略法」を紹介していきます。

　テンプレートやワークシートをたくさん収録していますので、それらを活用することで、悩むことなく確実に「成功者のワザ」を再現できるようになっています。

　正直、この本の通りにやってみてうまくいかなかったら、もう他に方法はないんじゃないかなと思います。

ファンを生み出すノウハウを大公開

　私が考える「集客」とは、単なるフォロワー数の増加を目指すものではありません。Xでビジネスをするうえで、自分の味方になってくれる「ファンづくり」が「集客」だと考えています。

　単純にフォロワー数を増やすだけでも難しいのに、「ファンづくり」なんて聞くとハードルが高く感じられるかもしれません。

しかし本書に書かれていることを実践すれば、初心者の方でも、あるいはかつて X での集客に失敗したという再入門の方でも、着実に自分のファンを増やすことができます。

3000人に教えた 「SNSマーケティングの正解」をこの1冊に

本書は次のような構成です。

Chapter1 では、なぜ今 X に取り組むべきか、改めて説明します。X の重要性や優位性の理解に役立ててください。

Chapter2 では、X 上での人格ともいうべきアカウント設計の方法を解説します。アカウントは X でビジネスをするうえでの、いわば基盤になるものです。「アカウント設計シート」を使って、多くの人に求められるアカウントをつくっていきます。

Chapter3 では、ペルソナ設定の方法を紹介します。自分が集めたいフォロワーのイメージを明確にできれば、ポストがつくりやすく、方向性がブレることもありません。

Chapter4 では、フォローしたくなるプロフィールのつくり方を説明します。プロフィールが与える第一印象で、ユーザーがフォロワーになるかどうかが決まります。最初のプロフィール設定時はもちろん、X 運用を進める中で思うようにフォロワー数が伸びないようなときにも、本章を読み返してみてください。

Chapter5 では、自分が参考にするべき「成功者」の選び方と、そのワザの「盗み方」を紹介します。実は、X 集客で成功するための近道は、

実績のある人の方法論をマネることです。本書で紹介しているノウハウとともに、成功者の方法を研究してみてください。

Chapter6 〜 8 では、具体的なポストの作成方法を説明します。最新のアルゴリズムをもとに考えた、「今すぐマネできる投稿の型 81 選」も用意しているので、これを活用すれば「どんなポストをすればいいのかわからない」という悩みから解放され、ユーザーがフォローしたくなるポストを量産することが可能です。さらに、投稿文に入れるだけで反応される「鉄板ワード」もご紹介しています。ぜひ徹底的に使いこなしてください。

Chapter9 では、投稿を超効率化させる ChatGPT の活用術を紹介します。ChatGPT の始め方や X 専用のプロンプト集を載せていますので、初めての方も今すぐ活用できます。

Chapter10 では、X 運用を継続する中での改善方法を説明します。さまざまなデータをもとに、ポストの内容やプロフィール、配信タイミングなどを改善していくのですが、その際の数値の見方や修正ポイントを解説していきます。

Chapter11 では、X 初心者でも簡単にできるおすすめの「稼ぎ方」を具体的に紹介します。X で何をするか決めていない方も、これを読めば稼ぎ方が見つけられると思います。

どこから読んでも問題ありませんが、初心者の方は、Chapter1 とChapter11 を読んでから Chapter2 以降を読むと、自分が X でやるべきことがイメージしやすいかもしれません。

すでに X 運用に関わったことがある再入門の方であれば、Chapter2 から読み始めていただくと効果的だと思います。

　すでに実績が出ている方がさらに売上を伸ばしたいという場合には、投稿文に入れるだけで反応される「鉄板ワード」（Chapter7）や今すぐマネできる投稿の型（Chapter8）や、ChatGPT のプロンプト集（Chapter9）を活用して、時間の効率化と成果の最大化につなげていただけたらと思います。

　本書を参考にして実践していただけたら、今までとは違う景色が必ず見えてくると思います。

本書の内容は 2023 年 10 月 31 日時点の情報です。

最新情報については、各サービスのホームページをご確認ください。

また、本書を参考にした X 集客の結果について、著者、出版社、制作関係者は、一切の責任を負いかねます。ご了承ください。

■ **主要用語集**

　2023 年にサービスや関連用語の名称が変更になりました。主な変更点を記載します。

変更前	変更後
Twitter	X
ツイート	ポスト
リツイート	リポスト
引用ツイート	引用ポスト

Chapter

1

X集客は
いま攻略しないと
損をする

Xなら億単位の
売上もつくれる

Xをやらない理由が見当たらない

　初心者がSNSで集客を考えるのであれば、まずはXから始めるべきだと断言できます。

　理由は単純です。リスクはゼロで、超稼げるからです。

　私は、本格的にXをビジネスで利用し始めた2020年から3年10ヶ月で9万人以上のフォロワーを集め、5億円以上の売上をつくってきました。この間、宣伝費はゼロです。

　このようにX集客によって、日本人の平均年収を大きく上回るお金を稼ぐことは、決して珍しい話ではありません。

　私の生徒も正しい方法を実践したことで、未経験からたった2ヶ月で月間売上を0円から82万円に伸ばした人や、X集客を始めたことで年商が4000万円を超えた人など、成功者は後を絶ちません。

　知られていないだけで、実はこのくらいの売上をXで生み出している人がたくさんいるのです。

　月100万円どころか、年間3000万〜1億円超えを狙えるジャンルを一部紹介します。

〈年間3000万～1億円超えを狙えるジャンル〉

SNSマーケティング　ハンドメイド作家　物販　占い　恋愛相談
映像編集　資産運用アドバイス　ファッションスタイリスト
イラストレーター　ライター　中小企業診断士
ウェブデザイナー　英語指導　ボイストレーニング　ネイリスト
アプリ開発　飲食店　ヨガ　婚活相談　行政書士
ダイエットコーチ　民泊

　資格が不要なジャンルも多く、誰でも稼げるのがXです。
　稼げるかどうかの違いは、稼ぎ方を「知っているか、知らないか」だけなのです。

X集客の成功に、センスの有無は関係ない

X は基本的に文字によるコミュニケーションなので、YouTube や Instagram のように、編集技術や美的センスを問われることはありませんし、動画編集ソフトや最新の機材を購入する必要もありません。

また X では、フォロワー数がわずかなときでも、多くの人に見てもらう機会を自分から仕掛けることが可能です。

他の SNS では「まずはフォロワー数を増やしましょう」とか「新規ユーザーのおすすめに表示されるような投稿をつくりましょう」という話になると思いますが、X は違います。

そのポイントとなるのが、リポスト（旧リツイート）です。

Xの拡散力を活かして、「稼ぐ」につなげる

リポストとは、他人のポスト（旧ツイート）を自分のポストとして投稿できる機能です。

たとえあなたのフォロワー数が少なくても、インフルエンサーがあなたの投稿をリポストすれば、多くの人に見てもらうことが可能になるのです。

特にフォロワー数の少ないときには、この機能を戦略的にうまく活用することが重要になります。

500フォロワーで稼げる人 10万フォロワーで稼げない人

Chapter1
2

「フォロワー数が多い=稼げる」とは限らない

Xを始めるときに「まずはフォロワー数を増やそう！」と思われる方が多いと思います。

しかし、X集客の成功は、必ずしもフォロワー数の増加ではありません。

少し前であれば、フォロワー数が多いと「影響力のある人」だと思われていましたが、XをはじめとするSNSがここまで一般化すると、ユーザーも、単純にフォロワー数だけを見て「この人はフォロワー数が多いから興味が湧く」「とりあえずフォローしよう」とは考えなくなっています。

情報過多な時代だからこそ、ユーザーは信頼できる人を見極めようとする傾向が強くなっているのでしょう。

では、濃いファンを多く抱えるインフルエンサーと、フォロワー数は多いのに影響力が弱い人の差はどこにあるかといえば、つながりの強さです。

Xでのビジネスを成功させるために重視するべきなのは、フォロワー数よりも、関係値の深さ。すなわち自分のファンをどのくらいつくれているかということです。

ファンは、自分が発信する内容に共感して、自分が期待する行動を起こしてくれる可能性があります。そしてそのようなファンが一定数いれば、フォロワー数は少なくても期待通り、あるいは期待以上の成果につながります。

Xはマッチングアプリ

昔のX（当時 Twitter）のタイムラインは、フォロー中かつ時系列に表示されていました。なのでフォロワーをガンガン増やせば、多くの人に情報を届けられました。

しかし今ではユーザーがどんなものに興味を持っているかをXが把握し、あなたとその情報を「マッチング」したタイムラインが表示されています。
フォローしていない人でも、ユーザーに興味のある情報だと判断されれば表示される仕様です。

Xにとってもっとも重要なことは、アプリの滞在時間を長くして、広告収入を伸ばすこと。SNSは可処分時間の奪い合いですから、日進月歩で各社がこのマッチングの精度を高めています。

発信者として勝ちにいくには、フォロワー数ばかりに気を取られず、この特徴を捉えて対応していく必要があります。
難しいように聞こえるかもしれませんが、簡単です。

専門分野を絞り、ターゲットをより明確にし、その人たちが求める情報を考えて発信していくのみです。

Chapter1 3 「Xで数十万稼ぐ」は楽勝

Xで急速に増えている、成功者

「Instagramやブログは稼げるイメージがあるけど、Xも稼げるの？」という質問が届くこともあります。

私の生徒には「1ヶ月で数十万円、数百万円を売り上げた」という人は何人もいますし、真剣にXに取り組めば、ひと月で数十万円を稼ぐのは決して難しいことではありません。

ただ、ファンづくりにつながる発信内容、商材のプランニング、そしてうまくいかない場合の改善策の検討と実施など、大きく稼ぐためには相応の努力が必要です。

中には「そこまで稼ぎたいわけではないけれど、小遣い稼ぎくらいのことができれば……」という方もいると思います。

詳しくはChapter11でお話ししますが、ここでは、比較的気軽にできるXでの稼ぎ方を3つご紹介します。

手軽にXで稼ぐ方法3選

1 アフィリエイト

　他の人の商材を、購入先の URL とあわせてポストで紹介し、その URL 経由で購入した人がいれば、販売価格から数％〜数十％という一定の割合または一定の金額をマージンとしてもらえる仕組みです。

　楽天市場や Amazon などの EC サイトにアフィリエイト用のプログラムがあり、また A8.net やバリューコマースというアフィリエイト専門のサービスを提供している会社もあります。アフィリエイトは仕入れの必要がないので、何と言ってもほぼノーリスクで始められるのが魅力です。

2 運用代行

　依頼者に代わって X の投稿や分析を行い、その対価として報酬をもらう方法です。

　フォロワー数が 1000 人ほどになったらチャレンジしてほしい稼ぎ方です。

　X がこれだけ普及していても、まだ始めていない、あるいは 2、3 回投稿したものの、そのままになっているという個人経営のお店は少なくありません。このような、SNS に関心はあるけれどなかなか取り組んでいる時間やスキルがないというお店の X の運用を代行してあげるというわけです。

　料金は、1 週間に数回のポストをして、1 ヶ月で 3 万円くらいと考えておけばよいでしょう。

3 オリジナルコンテンツ販売

自分のオリジナルコンテンツをつくり、それを販売して売上を稼ぐ方法です。

オリジナルコンテンツといっても、おおげさに考えることはありません。ダイエット法でも勉強法でもなんでもいいので、自分が他の人よりも得意なジャンルの「講座」をつくって販売するのです。私が生徒に教えているのも、おもにこの稼ぎ方です。

この方法は大きな売上につながる可能性が高く、おすすめではあるのですが、講座をつくるのが初心者にはハードルが高いかもしれません。

そこで初心者が始めやすい方法も Chapter11 では紹介しています。

X を始める目的が稼ぐことではないとしても、この 3 つのどれかにチャレンジしてみてはいかがでしょうか。それによって、集客に効果的な文章のつくり方やフォロワーの心理、SNS マーケティングなども学ぶことができると思います。

企業もX攻略は
マストの時代

採用コストゼロで「辞めない社員」を採用できる

　ファンづくりという観点で見ると、Xは企業のブランディングにも大きな力を発揮します。

　企業アカウントで、広報担当の「中の人」が頑張ることはもちろん大切ですが、それだけでなく、社長が個人アカウントでブランディングのために情報発信をしていくことで、企業とフォロワーとの間で親密な関係を築くことができます。

　そういった意味で、自社商品を知ってほしい企業の宣伝部員、会社の認知を高めたい企業経営者、活動の場を広げたいフリーランスなど、経済活動に関わるほとんどすべての人にとってXの活用はマストだと思いますが、中でもとりわけ効果があると私が思うのは、企業の採用活動です。

　2020年の厚生労働省のデータによれば、2019年の入社3年以内の離職率は約3割だったそうです。つまり、新入社員の3人に1人は、3年を待たずに退職してしまうということです。また、求人サイトを利用して採用すると、採用者の初年度年収×20〜30％の高い採用コストがかかることがあります。

　採用に失敗したくない、簡単に辞めない社員を採用したい……。その

ようなときにおすすめなのが、Xを活用した採用活動です。

Xでの採用活動がうまくいくことは、私自身が体験したことです。

私はSNSマーケティング事業の他に、訪問看護事業も展開していますが、開業の際に「訪問看護事業を始めるので、一緒に働きたい人を募集します」と告知したところ、60人の応募があり、そのうちの20人を採用することができました。そして、現在まで誰も辞めていません。

これは応募者が、会社というよりも私を信頼してくれたからこそ、可能になったことです。「この人と一緒に仕事をしたい」と思ってくれたから、訪問看護という未経験の事業を始めようとする私のもとに、集まってくれたのです。

またSNSマーケティング事業に関わるスタッフもXでの募集に応じてきてくれた人たちです。とても熱心に取り組んでくれて、すぐに辞めてしまうということもありません。

Xでの採用活動を成功させるコツ

では、どうしたらXでの採用活動を成功させられるのか。
2つのポイントをお伝えします。

● 企業アカウントではなく個人アカウントで採用活動をする

大企業は別として、中小規模の会社であれば、社長が日頃から自分自身のアカウントで情報発信をして、ファンを増やしていくのがおすすめです。

企業アカウントでは会社案内のような印象がある一方で、個人アカウントはフォロワーとの距離感が近く、ファンづくりにつながりやすいか

らです。

　社長が実名を出して個人アカウントを運営することが難しければ、採用担当者でも大丈夫です。

　大切なのは、日々の投稿を通じて自分の考えや思いを伝え、人柄を理解してもらい、そのうえで共感してくれる人を採用することです。

　入社してもすぐに辞めてしまうというのは「入社前に自分が思っていたイメージと違う」というすれ違いが原因のケースが多いのではないかと思います。

　日頃からXでありのままの企業理念や社風を共有していれば、そのようなすれ違いは起こりづらいはずです。

● 良い点も悪い点もありのままに発信する

　ことさらに自社の悪い点を公開する必要はありませんが、いい会社に見えるように取り繕うことはNGです。

　非常に忙しく、定時に帰れることはないような職場なら、それはそのまま伝えるべきです。それでも社長の人柄や会社に魅力を感じれば、入社を希望する人はいるはずです。

　ここで「残業はほとんどなく、社員はアフター5を満喫しています」などと言っても、入社後すぐに嘘だということがわかれば、即退職となってしまいます。その反対に、楽しい職場であれば、その雰囲気をきちんと伝えましょう。

　Xの個人アカウントで素の状態の自分たちを見せ、そのうえで共感してくれる人を社員として迎える。

　これが、採用コストゼロで、辞めない社員を採用するコツです。

ファンを生み出す
アカウントを設計する

アカウント設計なくして、勝ち目はない

SNS運用にアカウント設計はマスト

アカウント設計とは、ビジネスを進めるうえでの航海図をつくるようなものです。自分の立ち位置を決め、どこに向かっていくのかという航海図がないまま、やみくもに進んでも、よくて目的地にたどり着かない、悪くすれば遭難してしまう場合だってあるかもしれません。

ユーザーは、まあまあ役に立ちそうと思えば、フォローはしてくれます。しかし情報を手にするために課金が必要となった場合には、態度は非常にシビアになります。

もしかしたら「他のアカウントでも似たような情報は手に入るし、お金がかかるなら、もうこのアカウントはフォローしない」ということもありえます。

そうならないよう、X集客を成功させるためには、他のアカウントとの明確な差別化を意識した、アカウント設計が重要になるのです。

たとえお金がかかってもこのアカウントとつながっていたい、情報を欲しいと思われるアカウントをつくっていきましょう。

5STEPの
アカウント設計シート

アカウントを設計する「5つの質問」

　ではいよいよ、「アカウント設計シート」を使って、自分のアカウントをつくってみましょう。

　38ページのアカウント設計シートには、以下の5つの質問に対する回答欄があり、それを埋めていくことで「アカウントの軸」がはっきりと見えてきます。

1 X運用の目的は?

　X運用を始める前にするべきなのは「何のためにXで情報発信をするのか」を明確にして、ブレない軸をつくること。

　情報発信の目的を明確にしておかないと、いつの間にかフォロワー数を増やすことが目的になってしまいます。それが故に途中でくじけてしまった人を何人も見てきました。

　特に道を誤りがちなのは、自分の想定よりもフォロワー数が増えていかない場合です。焦ってしまい、バズ狙いのポストをしたりプレゼント企画でフォロワーをかき集めたりしたくなるのですが、それでフォロワーを集めたとしてもあまり意味はありません。

　誰でも、最初のうちは反応がとぼしいものです。そこでくじけてしま

わないように、アカウント設計の段階で、何のために X で集客しよう
としているのか、頭の中でふんわりとイメージしているだけでなく、具
体的に言語化してみてください。

「アフィリエイトで毎月 5 万円以上の副収入をつくる」
「会員数 50 人の恋愛のオンラインサロンを始める」
「マーケティングの即戦力として 3 人を採用する」

など、できるだけ詳細に設定することが重要です。
　そして、それを紙に書いて目につくところに貼っておきましょう。

「明確な目標」は、X 運用の到達点であり、出発点でもあります。
　迷いが生じたら常にそこに戻ってきてください。初心忘るべからずで
す。

2 フォロワーにとってフォローするメリットは？
　すぐに答えが浮かばない人は、まずはあなたが得意なことや、今まで
時間とお金をかけてきたことをできるだけ多くあげてください。

「これは個人的な趣味で夢中になっていただけだし……」なんて考える
必要はありません。英会話、ダイエット、料理、マーケティングの勉強
など、自由にあげることが大切です。

　次に、その中で「これだけは他人には負けない」というものをひとつ
選びます。実際に負けていないかどうかは、重要ではありません。自分
自身が強みだと思うことであれば十分です。

なかなか思いつかなければ、家族や友人に聞いてみましょう。自分では「このようなことはできて当たり前」と思っていることでも、他人にはそうではないということが往々にしてあります。

最後に「これだけは負けない」と考えたひとつに対して、自分の情報発信によって提供できるメリットを書き出してみましょう。

その情報を知らない人に喜んでもらえることは何かを考えてみれば、自ずと答えが出てくるはずです。

3 他のアカウントと差別化できるポイントは?

2であげた「これだけは他人には負けない」と考えたことに対して、あなたにしか発信できないことを書き出しましょう。

おそらく、これからXでビジネスを始めようとしている皆さんにとって、すでに似たようなビジネスを進めているアカウントは、相当数存在しています。差別化を意識しなければ埋もれてしまい、ファンもフォロワーもつくることは難しくなります。

いきなり差別化と言われても難しい……と思う人は、あなた自身の特性や経験を活かすことをおすすめします。

たとえば、痩せた経験をもとにダイエットの情報を発信したいと思ったなら「いつ、どんな状況で、どんな工夫をして、どうなったか」を思い出してみてください。

単純に「痩せる方法を教えます!」という抽象的な内容ではなく、「35歳のときに産後半年で、スキマ時間に自宅で運動して、ウエストが15cm細くなった方法を教えます!」と言われると、あなただけの独自性が生まれますよね。

より多くの人にウケようと抽象的な発信をしていては、他のアカウントに埋もれてしまいます。情報によってあなたの色が見えてくる、より具体的な経験や知識を活かせることこそが、差別化できるポイントになります。

④ フォロワーはどんな未来が期待できるか？

「あなたが提供する情報によって、誰をどのレベルまで上げていくか」という、フォロワーの願いが実現できた後の未来図を想像して、書き出してください。

　一言で「フォロワーの未来図」と言っても、少しわかりづらいかもしれないので、具体的に学習塾の例で考えてみましょう。

　学校の勉強がわからない生徒に基礎を教える塾、偏差値40前後の生徒の成績を上げる塾、そして超名門校を目指す生徒のための塾では、それぞれ教える内容が違います。そうなると、生徒を集客するための方法やメッセージにも違いがあるはずです。

　これが「フォロワーの未来図」ということで、Xでの情報発信にも同じことが言えます。

　SNSマーケティングについて情報提供するアカウントだとしたら、まったくの初心者を月5万円くらい稼げるようにするのか、すでに毎月5万円程度の売上のある人を20万円、30万円まで伸ばしていくのか、あるいはそれ以上を目指すのかということで、ターゲットも発信する情報も違います。

「誰をどこに連れて行くアカウントなのか」は、プロフィール文の書き方にも影響してきます。

　情報を発信する側は、漠然と「こんな情報を提供しよう」程度の意識しかないことが多いのですが、情報を受け取る側からすると、実は大きな違いです。アカウント設計の段階で、ターゲットのゴールを明確に言語化しておきましょう。

5 X上でどのようなキャラクターで振る舞うか?

　Xのタイムラインを見ていると、自然と「この人は好き」「この人はちょっと苦手」と感じることがあると思います。この「好き・苦手（嫌い）」を決めるのが、アカウントのキャラクターです。

　ビジネスでX集客を成功させるには、このキャラクターの設定が非常に重要です。キャラクターの違いが顕著に表れるのが言葉遣いで、それによって、ポストを読む側の印象にはかなり差が出てきます。

　フォローされやすいキャラクターは4つに分類することができます。次の①～④からアカウントのキャラクターを選んでいきましょう。

① 生産型

　何事につけ「これはいい、あれはダメ」とズバッと言い切るタイプ。自分自身で何かを生み出す力と実績がある自信家を感じさせるキャラクター。そのため、受け手によっては嫌悪感を覚える場合も。

〈ポストの例〉

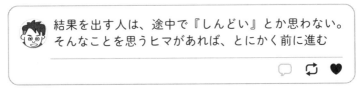

結果を出す人は、途中で『しんどい』とか思わない。そんなことを思うヒマがあれば、とにかく前に進む

② 美化型

　周囲を鼓舞しながら巻き込んでいく、感情的・情熱的なタイプ。一緒にいると、何となく自分も頑張れるような気になってくる。ドラマに出てくる熱血教師のようなキャラクター。

〈ポストの例〉

つらくてもいい、苦しくてもいい。みんなそう。
一緒に頑張ろう！

③ 論理型

　発言するときにはエビデンスを用意するなど、ポストの内容はひたすら理詰め。そのため嫌がられることもあるが、論理的で落ち着いた文章が得意で、何かあっても感情に流されない自信があればおすすめ。

〈ポストの例〉

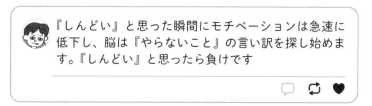

『しんどい』と思った瞬間にモチベーションは急速に低下し、脳は『やらないこと』の言い訳を探し始めます。『しんどい』と思ったら負けです

④ 共感型

　何事も論理的に詰めたり、断言したりせずに「そんな気持ちもわかります」と、相手の気持ちに寄り添い、共感を誘うキャラクター。押しが弱い面はあるが、嫌われることも少ない。

〈ポストの例〉

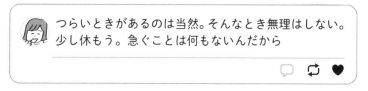

つらいときがあるのは当然。そんなとき無理はしない。
少し休もう。急ぐことは何もないんだから

● 大切なのは"ずる賢い"使い分け

　まずは4分類の中から、ターゲットに合ったキャラクターを選ぶことをおすすめします。たとえば、英会話を教えるアカウントだとしたら、ターゲットが「海外赴任を目指す若手ビジネスパーソン」と「のんびり海外旅行を楽しみたいと思っているシニア層」では、接し方が異なるはずです。

　本来の自分が理詰めで物事を考えるタイプだとしても、後者に対しては「一緒に頑張りましょう」という態度で接していかなければ、ファンはつくりづらいでしょう。

　自分自身の性格よりも、「ターゲットファースト」でキャラクターを設定することが重要です。ターゲットが求めている像は、①〜④のどれに近いかを考えてみてください。

　あえて印象付けるために、時々キャラクターを変えることも有効です。日常生活で、普段ニコニコしている人が突然怒り出すと、かなり恐ろしく印象に残ります。その反対に、普段厳しい人がふとした場面で優しくなったりすると、それもまた印象的です。

　Xでもそれは同様で、必要なポイントで適切にキャラクターを変えてみると、フォロワーにいい意味での意外感を与えることができます。

　たとえばベースが共感型であっても、重要なことを伝える場合は生産型のポストをする、などです。このようにポストの落差をつけることで、印象は大きく変わり、エンゲージメント（ユーザーがリプライやリポスト、「いいね」などの行動をした回数）にもいい影響を与えることができます。

● 初心者は「共感型」からスタート

X 初心者がフォロワーを増やそうという場合、いきなり生産型や論理型でいくのは、かなりハードルが高いと言えます。

TOEIC® で満点を取得したことがあったり、別の SNS で月商 200 万円以上稼いでいたりなど、すでに卓越した実績があれば、「こうするのが正しい！」と言い切るような発言をしてもフォロワーに受け入れられますが、そうではない場合には、「たいした実績もないのに、何なのこの人？」と反発を買うことのほうが多いでしょう。

初心者が集客の成功を目指すためには、まずは共感型のポストを多くしてフォロワーを集め、ポストを重ねていく中でいろいろなパターンを試してみて、反応を見るというのが王道です。

ここで無理なキャラクター設定をすると、あとが厳しくなります。まずは、尖りすぎない、自分が継続して投稿できそうなキャラクターから始めましょう。

アカウント設計シート

1 X運用の目的は?

2 フォロワーにとってフォローするメリットは?

3 他のアカウントと差別化できるポイントは?

4 フォロワーはどんな未来が期待できるか?

5 X上でどのようなキャラクターで振る舞うか?

以下の4つから選んでください。

① 生産型
② 美化型
③ 論理型
④ 共感型

Chapter

3

「誰に発信するか」を
明確にする

たった一人を深く理解できるかが成功のカギ

ポストの羅針盤「ペルソナ」

「ペルソナ」とは、商品・サービスを利用する顧客像のことです。

架空の顧客像（＝ペルソナ）は、氏名、年齢、職業、住んでいる場所、趣味、悩み、服の好みなど、できるだけ詳細に設定してつくり上げます。

ペルソナは、それを軸にマーケティング戦略が立案されるほどに重要な概念ですが、Xでの情報発信の場合も同様です。

誰に向かって何をポストしようとしているのか、どのようなポストが刺さるのかを考える際に、ペルソナは重要な役割を果たします。

たとえば、ビジネスパーソン向けに、TOEIC® で700点以上を取るための教材を売りたいと考えた場合です。

ペルソナの設定をせずに情報発信を始めると、英語の苦手な大学受験生や、明日から海外旅行に行くので慌てて英会話を覚えようとしている人などが集まってしまい、ポストの方向性がずれたり、本来ターゲットにしているユーザーを集められないということになりかねません。

しばらくXの運用を続けていくと、必ず迷いや誘惑が出てきます。

フォロワー数が思うように伸びないからポストの方向性を変えてみようとか、リポストや「いいね」を増やすために少し過激なポストをしてみようなど、次第に最初の目的を見失ってしまいがちです。

そのようなときに原点に立ち返るための、いわば羅針盤のような役目を果たすのがペルソナです。

ペルソナの解像度が高いほどポストがしやすい

ペルソナを設定する際に大切なのは、解像度を高く設定することです。

TOEIC® の講座を例に考えてみましょう。

まず、NG なのが「TOEIC® で 700 点以上を取りたいと考えているビジネスパーソン」というペルソナです。一見、具体的な設定にも思えますが、以下に、不足している点をあげてみます。

- なぜ700点以上取りたいのか。自己啓発が目的なのか、あるいは会社から要求されているのか。
- TOEIC®を受験するのは初めてなのか、あるいはすでに何回か受験しているのか。
- もし受験の経験があるなら、過去は何点くらいとれていたのか。
- 700点達成までに、時間的な余裕はあるのか、急いで実現しなくてはいけないのか。
- 学生時代、英語は得意だったのか。
- 会社員、自営業…どのような仕事についているのか。
- どのような家族構成なのか。配偶者や子どもがいるのであれば何歳くらいなのか。
- どのような場所に住んでいるのか。

なぜここまで細かくするかと言えば、ペルソナの状況によってポストの内容が変わってくるからです。

英語が得意な人を相手にするのであれば「700点までなら、あと少しの頑張り！」となり、英語が苦手なら「じっくりと取り組んでいきましょう！」となるなど、細かな違いが出てきます。

ちなみにペルソナの名前はなんでも結構です。自分の周囲に設定しようとしているペルソナに近い人がいたら、その人の顔をイメージしながら決めてもよいでしょう。

これらの要素を考慮してペルソナを設定すると、たとえば次のようになります。

- 池田宏貴　38歳
  渋谷区本町在住。家族は妻と小学校低学年の男の子が2人。
- 大手食品メーカー勤務。マーケティング本部デジタルマーケティンググループのリーダーとして、8名の部下がいる。
- 学生時代、英語は得意でも苦手でもなく、ごく平均的な成績。就活にあたりTOEIC® を受けたところ、550点だった。
- 入社後は英語を使う必要のない部署にいたのだが、海外展開に力を入れ始めたことから社内でTOEIC® スコア700点以上を推奨されるようになったこともあり、久しぶりにTOEIC® に挑戦することになった。
- とはいうものの、久しぶりすぎてどのように勉強したらいいのかわからない。休日は家族と過ごす時間を優先しているため、勉強できる時間は平日の就業後1〜2時間程度。3ヶ月後の受験を目標にしているが、700点を超えないと部内でも示しがつかないと考え、ややプレッシャーを感じている。

これだけ設定すると、「TOEIC® で 700 点以上を取りたいと考えているビジネスパーソン」という設定に比べ、かなりイメージがはっきりしてきました。このようにペルソナの解像度を上げると、ポストする内容も考えやすくなります。

　漠然と「700 点以上取りたい」と言っている相手よりも「会社から求められているし、達成しないと部下の手前示しがつかない」と受験の動機と現状がわかっている相手のほうが、伝えるべきことが明確になりますよね。

　ちなみに、最初に設定したペルソナを途中で修正することは、まったく問題ありません。ペルソナはあくまで具体的な仮説に過ぎませんので、実際に運用を始めたあとにフォロワーの属性やトレンドなどに合わせて、本当に実在しそうな人物にすることを意識して見直してみてください。

　大切なことは、X 運用の目的からブレずにポストをしていくということです。

　では次から、具体的なペルソナの設定方法について説明しましょう。

基本設定は
自分の年齢±5歳

まずは「ものさし」を決める

　最初はあまり神経質に考える必要もありませんが、「きっとこういう人がいるだろう」という思い込みだけで、ペルソナを設定してしまうこともあるかもしれません。

　まったく存在しないようなペルソナをつくってしまったら、どんなに頑張ってポストしても、思うように集客が進まない場合もありえます。

　そうならないようにおすすめなのが、ペルソナ設定の「ものさし」をひとつ決めることです。

　ペルソナには、性別、居住環境、職業などさまざまな要素を設定しますが、どれかひとつをものさしにして、そこから連想されることをまとめていくのです。

　その中でも、年齢をものさしにして、自分の年齢±5歳をイメージするのがおすすめです。

年齢基準がおすすめの理由

　プロのマーケターならともかく、一般的なXユーザーは、そこまで解像度を高くする材料や経験を持ち合わせていません。

　そのような状況で設定するペルソナは、どうしても想像力に頼るとこ

ろが多く、実情に合わない部分が出てくることは避けられないでしょう。

　しかし自分の年齢±5歳の人物で考えれば、そのようなブレを少しでも減らすことができます。

　ペルソナを自分より年下にするのであれば、自分の経験をもとに設定できるし、少し年上であれば、先輩や上司など、参考にできる人物が実在します。

　5年前のことを思い出してみてください。職場の雰囲気はどうでしたか？　何か資格取得に向けて頑張ったりしていましたか？　家庭は円満でしたか？
　あるいは、5年くらい上の先輩の様子を見てみてください。仕事への真剣度はどのくらいでしょう？　家族の愚痴などをこぼしていないでしょうか？

　このように、細かいピースを埋めていくことで、想像だけに頼らないペルソナ設定が可能になります。そしてその結果、ポストの内容も具体的になってきます。

　過去の自分や、少し先の未来の自分なら、どのような言葉をかけてほしいか、わかりやすいですよね。
　また、先輩にどのような話題を持ちかければこちらの話に耳を傾けてくれそうか、具体的に思い浮かぶのではないでしょうか。

　過去と未来の自分、そして周囲の先輩の様子をできるだけ具体的な言葉に落とし込むことが、初心者にとって完成度の高いペルソナ設定への近道です。

ペルソナ設定シートを
つくってみよう!

　これまで解説したことを踏まえて、ペルソナ設定をしてみましょう。

　52 ページの「ペルソナ設定シート」を参照しながら、自分がイメージするペルソナの詳細を整理してみてください。

　このような作業をするのが初めての方は、自分の年齢±5歳の人物を思い浮かべると進めやすく、また現実のターゲットとの乖離が少なくなります。

　ペルソナ設定に関しては検討するべき項目も多いので、それぞれ簡単に解説していきます。

1 名前

　自分のイメージで問題ありません。自分のアカウントをフォローしてくれそうな友人の名前を入れるとイメージが湧きやすいでしょう。好きな芸能人など特別な感情を抱いている人物の名前だと、以降の項目設定のときにバイアスがかかってしまうかもしれません。

2 年齢

　原則は自分の年齢±5歳ですが、自分が提供しようとしているサービスに応じて調整しても構いません。

3 性別

　提供する情報に合わせて設定してください。

4 出身、現住所

　都心、郊外、地方都市など、自分が提供する情報を必要とするターゲットがいそうな場所を想定するのがベストです。ただし、そこでの暮らしがどうしてもイメージできなければ、自分が住んだことのある場所、馴染みのある場所を選んでも問題ありません。

5 家族構成

　提供する情報に合わせて設定します。独身者向けの情報なら独身、夫婦向けの情報なら夫婦と子ども一人などというイメージです。

6 目標を持って行動するときのパターン

「飽きっぽい」「すごい集中力を発揮する」「とりあえず始めてみる」など、自分のポストが刺さりそうなパターンの人物像をイメージすると、自分の想定したフォロワーと実際のフォロワーのズレが生じにくくなります。

7 収入
8 貯金額

　ネットなどで調べ、平均額を記入しておきましょう。後々、有料情報を提供する際の価格決定で参考になります。

9 頭から離れない悩み

　設定した年齢に合わせて、どんな悩みを抱えているのか記入してください。

10 悩みの深さ

　以下の４段階から選んでください。

①悩みは特にない、あるいは対策するほどの悩みではない
②悩みはあるが何をしていいかわからない
③悩みがあり、解決方法を探したり、考えたりしている
④いろいろな方法を試したものの、まだ悩みは解決されていない

ペルソナがどの段階にいるかで、ポストの内容が変わります。
自分が提供する情報の内容と合わせて、よく検討してください。

11 悩みを解決したいと思っているか
以下の4段階から選んでください。

①特に解決しようとは思っていない
②解決法があることは知っているが、特に対策をする必要がないと
　思っている
③解決法があることは知っていて、対策をしたいと思っている
④すでに対策をとっているが、もっとよい方法があるなら知りたい
　と思っている

　これも、10と同様にペルソナの状態に合わせてポストをする必要があります。よく検討してください。

12 顔写真
　イメージに合う画像を、ネットなどで見つけてください。

13 職業
　規則的、不規則など、職業によって生活パターンが変わってきます。それに合わせて配信時間を決める必要があるのでその点に留意してください。

14 趣味

アウトドアが好き、インドアの趣味があるなどで、人物像に差があり、自分自身のキャラクター選びにも違いが出てきます。どのような傾向のフォロワーを増やしたいのか、イメージして決めましょう。

15 よく見るメディア、雑誌

これも生活パターンと人物像のイメージにつながります。「今ペルソナはテレビのニュースを見ている時間だな」「YouTube でお笑いの動画を見ているころだろう」など、ポストの内容も変わってくるので、ある程度精査して決定するとよいでしょう。

ペルソナ設定シート

1 名前

2 年齢

3 性別

4 出身、現住所

5 家族構成

6 目標を持って行動するときのパターン

7 収入

8 貯金額

9 頭から離れない悩み

10 悩みの深さ

以下の4段階から選んでください。

① 悩みは特にない、あるいは対策するほどの悩みではない
② 悩みはあるが何をしていいかわからない
③ 悩みがあり、解決方法を探したり、考えたりしている
④ いろいろな方法を試したものの、まだ悩みは解決されていない

11 悩みを解決したいと思っているか

以下の4段階から選んでください。

① 特に解決しようとは思っていない
② 解決法があることは知っているが、
　特に対策をする必要がないと思っている
③ 解決法があることは知っていて、対策をしたいと思っている
④ すでに対策をとっているが、もっとよい方法があるなら
　知りたいと思っている

12 顔写真	13 職業
	14 趣味
	15 よく見るメディア、雑誌

年代別の「刺さる言葉」

思うように集客できない……その原因は?

　しっかりペルソナを設定して、相当数のポストもしているけれど、思うようにフォロワーが増えないし、エンゲージメントも伸びない……。

　そのようなとき、まずするべきことは、ペルソナに刺さるメッセージを意識してポストできているかを確認することです。

　ペルソナに響くポストをつくるには、設定したペルソナの年代に応じて、たとえ同じ情報であっても、伝え方や言葉遣いを変えることを忘れてはいけません。

ペルソナの年代に応じたメッセージの伝え方

　設定したペルソナに刺さるメッセージを考えるうえで、年代ごとにどのようなマインドを持っているのか知っておく必要がありますが、私は次のように想定しています。

　未来を夢見る10代や、現実を前に立ちすくむ20代には、応援メッセージのような、やや力強い言葉が向いています。そしてそれを「自分についてこい!」くらいの気持ちを込めてポストしてください。

　新たなチャレンジに取り組もうというバリバリ現役の30代には「一緒に頑張ろう!」のような、自分も共感していることが伝わる言葉がよ

いでしょう。そしてそれを、まさに、会社を辞めて起業しようとしている同僚を送り出すときをイメージしてポストしてください。

40〜50代のペルソナに必要なのは、「頑張ろう！」という応援ではありません。もうすでに十分頑張っている世代なので、リスペクトを忘れることなく「こうしたらもっといい将来が待っている」ということを丁寧に伝える言葉です。

それを冷静に、こちらの気持ちを一方的に押し付けるのではなく、伴走者のような心持ちで表現してみてください。

10代
これからの未来に
期待

20代
社会の現実を見て
打ちひしがれている

30代
新しいキャリアを
つくる

40〜50代
第2の人生を
歩みだす

これらのことを踏まえずに、10代の若者に「君には明るい未来が待っている」と言っても「当たり前だろ？」と思われるだけですし、50代の人生のベテラン層に「自分についてこい！」と上から目線なメッセージをしても反感を買うだけです。

このように、メッセージを伝えるときの言葉遣い、発信側の心持ちを変えることで、ペルソナに刺さるポストになります。

ペルソナ設定で悩んだときの裏技4選

ペルソナがイメージしにくい場合は?

しばらくポストを続けていくと、ペルソナとして想定していなかったユーザーから、多くのよい反応をもらうことがあります。

そのような場合には、ためらうことなくペルソナの修正をするべきです。

ただ、修正しようと思ったときに困るのは、ライフスタイルなどを想像できない層を新たなターゲットとする場合です。

たとえば、資産形成の情報提供をする30代女性のアカウントで、おもに30代の独身女性向けに発信をするつもりでペルソナを設定。しかしポストを続けていたところ、なぜか20代既婚男性からの反応が非常によかったという場合など、どうしたらよいでしょう。

身内にそのような男性がいれば、人物像にある程度の見当がつくかもしれませんが、そうでない場合、ほとんど自分の想像にまかせてペルソナを設定しなければなりません。

ハズレのないペルソナ設定法

　ペルソナ設定で悩んだときに有効なのが、次の4つの方法で他人の知恵を借りることです。

■ 「Yahoo!知恵袋」で相談してみる

　Yahoo! 知恵袋（https://chiebukuro.yahoo.co.jp/）は、誰かが発した質問に対して、Yahoo! ユーザーが回答してくれる、日本でもトップクラスの集合知を体感できるサイトです。

　たとえば「20代既婚男性　お金　悩み」などのキーワードで、過去の質問と回答を検索してみると、ターゲット層がお金のどのような部分に課題を感じているのか見えてくるので、それを参考にしながらペルソナを設定するという方法です。もし、さらに深掘りしたいことがあれば、直接質問を投げかけてみてもいいでしょう。

　ただし回答は玉石混淆なので、その点は留意しておく必要があります。

■ フォロワーのプロフィールから特徴的な部分を言語化する

　自分のフォロワーの中から、新たなターゲット層と思われるアカウントのプロフィールや、そのフォロワーがフォローしている別アカウントのプロフィールをチェックして、共通している特徴を言語化して、ペルソナにします。

■ 漫画やアニメからターゲットに近いキャラクターを探し出す

　共通する部分がなかったり、あるいは一般化するのが難しい場合には、実在する漫画の中で自分の商品を買ってくれそうなキャラクターを探すことも有効です。キャラクターの考え方や人間関係が漫画で描かれ

ているので、非常にイメージしやすくなります。

　たとえば、『サザエさん』に登場するマスオさん。3歳の息子を持つ既婚の20代男性で、義両親と同居し、お人好しで優しい性格。
　さらに漫画やアニメを見て、「マスオさんに商品を売るなら、どんな言葉で語りかけるのが良いかな」と考えていくと、完全に的はずれなペルソナ設定をしてしまうことはないと思います。

　それでも見つからないときにはプロフィールの情報をもとに、架空の漫画のキャラクターをつくるつもりで考えてみるとやりやすいです。

4　直接、ターゲット層になる人に話を聞く
　この方法が具体的なイメージもつかみやすく、もっとも精度が高いペルソナ設定ができます。プロのマーケターであっても、ペルソナ設定の際には同僚や知人に話を聞いて、ターゲット層が抱える課題と悩みを抽出してから作業に取りかかります。

　ある程度相手のプライベートを聞き出すことにもなるので、さすがに初対面の相手では難しいと思いますが、SNSで何度かやりとりをしていたり、よく話をする職場の同僚であったりという場合なら、簡単に事情を説明して話を聞かせてもらえるよう、お願いしてみましょう。
　ただし、話をしてくれた相手のプライベートは絶対に明かさないこと。この点は気をつけてください。

　たとえターゲットが自分とは接点のない層だとしても、ここで紹介した方法を駆使することで、ペルソナ設定をやり直すことはそれほど難しいことではありません。
　億劫がらずに、楽しみながらチャレンジしてみてください。

Chapter

4

５秒で
フォローされる
プロフィールをつくる

プロフィール画像の 勝ちパターン

顔出しOKな人のアイコンのつくり方

プロフィールは、ユーザーがアカウントをフォローするか否か判断する重要な要素です。アカウントのことを理解してもらい、さらに好印象を与えられるよう、プロフィール文や画像など、細かな点に注意をはらって作成しましょう。

たまに、ビジネス目的であるにもかかわらず、いろいろと説明が不足していたり、プロフィールの文章や画像が趣味のアカウントと勘違いされてしまったりするアカウントを見かけます。

これを逆に言えば、プロフィールをしっかりとつくれば、それだけで他のアカウントとの差別化につながります。

本章では、そのための具体的な方法を説明していきます。

フォローされやすいプロフィール画像

まずは、プロフィール画像についてです。

人は見た目が9割ともいわれるので、プロフィール画像は非常に重要な要素です。

● プロフィールの写真は自分の顔

ビジネス目的で運用するのなら、プロフィール画像は自分の顔写真が

ベストです。ユーザーに安心感を与えることができるからです。

　自分がお客になった場合を考えてみてください。決して安くはないお金を払って何か購入しようというときに、顔がわかる人とそうでない人のどちらを選ぶかと言われれば、普通は顔がわかる人のほうを選ぶでしょう。

　犬、猫などのペットや、風景などの写真を使っているアイコンをよく見かけますが、ビジネスの場合はそのような画像は NG です。もし「10万円を 1000 万円にする情報」を X で販売しているアカウントのプロフィール画像がトイプードルだったとしたらどう思いますか？　いくらトイプードルがかわいくても、いまひとつ信頼できないですよね。

● **撮影は明るくすっきりした場所で、自然に微笑んで**
　撮影場所は、自然光が入る、何もない白い壁の部屋がベストです。好都合な場所がなければ、せめて背景がすっきりした場所を選んでください。散らかった部屋を背景にしたような写真では、本人が目立たないだけでなく「だらしない人」という印象を与えてしまいます。

　サイズ感としては、アイコンの中に胸から頭の先まできちんと収まるくらいがベストです。あまり顔が大きすぎると見る側に圧迫感があり、反対に小さすぎると、どのような人なのかわかりません。

　表情は軽く微笑むなど、見る人に好印象を与えるものにします。自然に微笑むのが難しいという人は、真面目な表情でも構いませんが、威圧感のある、尊大な印象を与えないように気をつけてください。

● アカウントとの一貫性を持たせる

プロフィール画像でもうひとつ大切な点が、着ている服装にもアカウントが発信する情報と一貫性を持たせるということです。

料理に関する情報を発信していくのであればエプロン姿、ヨガや筋トレの方法を伝えようとするのであればトレーニングウェアなど、アカウントにふさわしい服装はユーザーに信頼感を与えます。

その反対に、ビジネス系の情報提供をしているにもかかわらずTシャツ姿というのは、絶対にNGというわけではありませんが、信頼性という点では避けるべきです。

● 画像には文字を入れない

画像だけでアカウントのことを理解してもらおうと、写真を加工してキャッチコピーなどの文言を入れている人もいますが、写真のインパクトが弱くなってしまうので、文字情報はプロフィール文にまとめるようにしてください。

そもそも、どんな人物なのかがわかるくらいの大きさで顔を映していたら、文字を入れるスペースなどはないと思います。

ユーザーが知りたいのは、キャッチコピーよりも、アカウントがどのような人物なのかということです。

● できればプロのカメラマンに撮ってもらう

ビジネス用のプロフィール写真は、プロのカメラマンに撮影してもらうのがおすすめです。

最近はスマホのカメラも非常に高機能になっています。プライベートなスナップ写真ならスマホで十分ですが、ビジネスに使う写真は、やは

りプロに撮ってもらったほうがよいと思います。

　背景の選び方、光の使い方、表情の捉え方など、その差は一目瞭然で、明らかに自撮りと思われるアカウントと差別化できます。カメラマンの知り合いがいなくてもクラウドソーシングなどで「プロフィール写真撮影」と検索すれば簡単に見つかるので、ぜひ試してみてください。

　ちなみに、私のプロフィール画像もプロのカメラマンに撮影してもらったもので、フォロワーに与えたいイメージから逆算して服装や構図を考えてもらいました。

　以上、プロフィール画像についてポイントを紹介してきましたが、最終的に写真を選ぶ際には、誰かに相談してみることをおすすめします。自分では「これがイケてる！」と思っても、傍から見ると案外そうでもないということはよくあります。

【実例】効果的な画像とNG画像

　フォローされやすい画像と、初心者がやりがちなNG画像の実例を紹介します。

● フォローされやすい画像

プロのカメラマンが
撮影した写真

プロに依頼して
作成したイラスト

● NG画像

散らかっている
部屋が背景

被写体が遠すぎる

清潔感がない
（髪がボサボサ、髭が整っていない）

暗い場所で
撮影した素材

写真がぼやけている

動物の写真

景色の写真

料理の写真

自分の好きな車の写真

フリー素材

芸能人の写真

二人以上で
写っている写真

覚えてもらいやすい 名前は3〜6文字

覚えやすく、言いやすく

プロフィールで使う名称は、本名を使うにせよ、ニックネームにするにせよ、「覚えやすいこと」「言いやすいこと」が大切です。

そのためには、**ひらがなかカタカナで3〜6文字程度の長さ**のものにして、実際に口に出して言ってみるとよいでしょう。

「覚えやすい」といっても、芸能人ではないので、奇をてらったものにする必要はありません。私の場合は「もんぐち社長」と、名字をひらがなにしています。これは単純に「門口」だと「かどぐち」とも読めるので、ユーザーの混乱を防げることと、「もんぐち」のほうが柔らかい印象があると思ったからです。

イメージ的にアルファベットを使いたいという人がいるかもしれませんが、おすすめしません。ひらがなと比べて覚えにくく、リプライ時に「〇〇さん」と呼びかけてもらう際に相手に面倒がかかるからです。

後で詳しく説明しますが、リプライをもらうことは、集客するうえで重要なコミュニケーションです。相手が気楽にリプライしづらくなる要素は避けるべきです。同様の理由で、ひらがな数文字の本名であっても、言いづらい場合は、言いやすいニックネームにしてみましょう。

日本人は、基本的に文字を読むときに頭の中で音読をしています。そうであれば、言いづらい名前より言いやすい名前のほうが覚えやすいですよね。5文字以上の名字の場合などは、3文字くらいのニックネームにしたほうが覚えやすいと思います。

名前のあとも、重要

　もうひとつ重要なのが「何のアカウントなのかわかるようにすること」です。

　名前のあとに「｜」を挟んで、提供する情報や商材が端的にわかるよう追加しておくと、名前とアカウントの目的を同時に覚えてもらうことができて一石二鳥です。私の場合でいえば「もんぐち社長｜SNS集客」となりますね。

　ユーザーは、こちらが期待するほどには、名前をじっくりとは見てくれません。パッと見て、覚えやすくて、そして何をするアカウントなのかが瞬時に伝わるような、わかりやすい名前をつけてください。

人を惹きつける
プロフィール文の書き方

苦労の末にたどり着いた、プロフィール文の成功パターン

プロフィールの作成で、もっとも重要なのがプロフィール文です。

自分の実績をしっかりアピールしながら、ユーザーにフォローするメリットを伝える文章をつくろうとすると、多くの人が悩まれるかと思います。

私自身、今日に至るまで、プロフィール文は試行錯誤の連続でした。どうしたら効果的なのか、本当に何十回も書き直してきました。

その過程でわかったのが、プロフィール文には書くべき内容とその順番に成功パターンがあるということです。

現在の私のプロフィール文に沿って、成功パターンを説明していきます。この方法がもっとも書きやすく、また読みやすいので、ぜひご自身のプロフィール文を作成する際には参考にしてください。

1 発信する内容を一言で
2 裏付けとなる実績
3 過去から今に至る
　ストーリー
4 他媒体へのリンク

1 発信する内容を一言で

　どんな情報を発信している人なのかを端的に伝えます。詳しく書くとそれだけで文字数が埋まってしまうので、一言にまとめましょう。

　私は以前には「副業・フリーランスを稼がせる人」や「SNSマーケについて発信」としていましたが、この程度の粒度で十分です。

　ユーザーがメリットを感じられるように「再現性の高いXマーケについて発信」など、若干のあおりと具体性を入れてみてもよいでしょう。

　もし余力のある人は、自分を売り込むキャッチフレーズを入れられると、強い印象を残すことができます。

2 裏付けとなる実績

　このアカウントはなぜ 1 のような情報発信ができるのかという根拠になる実績です。アカウントと関連のある実績があれば可能な限り記載します。

　ここで重要なのは、客観的な数字であることです。具体的な数字をどんどん盛り込んで、自然と信頼してもらえることを目指しましょう。

③ 過去から今に至るストーリー

「過去のダメだった自分もこの方法で頑張ったらうまくいくようになった」という、過去の経験談で共感を得るようにします。

特にそのような経験がなければ、②と絡めて「自分はこんなことをやってきて、現在こんなことをしている。この経験を皆と共有したい」という内容でも大丈夫です。要は、なぜこのようなアカウントを始めようと思ったのか、その経緯をユーザーに理解してもらうメッセージです。

④ LINEやInstagramなど、他媒体へのリンク

X以外にも情報を発信しているSNSがあれば、そちらへのリンクを張っておきます。

なければ「○○したい人はフォローしてね」など、フォローすることによってユーザーが得られるメリットを明示しておくのもよいでしょう。

①〜④の要素をこの順番で、160文字以内でまとめればプロフィール文の完成です。

160文字という、わずかな文字数の中にいろいろな情報を盛り込むので、一つひとつの要素は簡潔ながらインパクトがある表現で、「｜」で区切りながらまとめていきます。

文章にすると文字数が不足するので「○○なXX｜□を続けて15年｜1000人を超える実績」のように、テンポよく並べてください。

ちなみに、プライベートなアカウントでは、好きな食べ物やアーティスト、趣味などが書かれているプロフィールをよく見かけますが、ビジネス向けのアカウントでは不要です。

むしろ、本来必要な情報を入れられなくなってしまうので、書かないほうがよいでしょう。

絶対に見つけられる 「あなたの実績」

プロフィールに載せられるような実績がないときは？

　これからアカウントを開設する人の場合、プロフィール文の「実績」にあたる部分に、何を書いたらいいかわからないかもしれません。

　特に、新たにXでビジネスを始めようという人であれば「これから実績をつくるのに、過去の実績なんてあるわけない」と思われるでしょう。

　たしかに、そのような方は多いと思いますが、そのときの対処法は、2つあります。

　ひとつは「プロセスエコノミー」という考え方です。

　通常のビジネスでは「完成されたもの」を販売しますが、「プロセスエコノミー」は、消費者を巻き込む形で「成長や制作のプロセス」もビジネスの対象とします。

　たとえば、いろいろとコスメを買って使ってはいるものの、何かの実績があるわけではないコスメ好きな女性が、この方法を使って情報発信する場合を考えてみましょう。

　実績といえるものはなくても、今まで試してきた化粧品は多数あるはずなので、それを紹介しながら肌指数などを見せて、

「今は私の肌はこんな状態ですが、これからいろいろなコスメを試して

きれいになっていきます！　そのプロセスを紹介していきます」
と、肌がきれいになっていく過程をユーザーに見せつつ、それをテーマ
に集客していくという方法になります。

　そしてもうひとつが、過去の体験を実績に変換するという方法です。

　実際に、このような人がいました。
　その人は、他人の悩み相談にのるのが得意で、それをビジネスにでき
ないかと考えたのですが、カウンセラーの資格があるわけでも、そのよ
うな仕事をしたわけでもないので、目に見える「実績」はありませんで
した。

　ただ、その人の「悩み相談歴」は長く、かれこれ15年以上、いろい
ろな人の相談にのってきたのだそうです。それだけ長い間たくさんの人
の相談にのってきたのなら、それは仕事や資格とは関係なく、立派な
「実績」です。
　そこで「聞き上手歴15年」というキーワードで、アカウントを開設
したところ、多くのフォロワーの心をつかむことに成功したのです。

　Xでビジネスを始めようという人は、概ね、何かしらの裏付けがあり
ます。たとえそれが仕事ではなかったとしても、他の人にはないスキル
として立派な「実績」になります。

　ここは奥ゆかしさを捨てて、少し図々しいくらいの気持ちで、自分の
実績を見つけてください。
　きっとあなたにも、他の人を喜ばせる何かがあるはずです。

身バレNGの人は
どうすれば?

顔写真はイラストで代用

　ビジネス目的でのXでは、信頼性を高めるためにも、プロフィールは本名かつ顔出しが原則です。

　とは言うものの、何らかの理由で顔出しや本名を明かすのが難しい場合もあると思います。

　そのようなときは、あえてすべてをさらしてリスクを冒す必要はありません。リスクに怯えながらそのような写真を公開するよりも、特定されない範囲で自分の特徴をとらえたイラストをつくり、それをアイコン画像にするほうが効果的です。

　その際、イラストに自信がある人であれば自分で描くという方法もありますが、そうでない場合は、しっかりとした技術のあるプロに描いてもらってください。ココナラ（https://coconala.com/）のようなサイトを利用すれば、数千円でプロに自画像を描いてもらえます。

　また、自分そっくりなアイコンではなく、自分が提供しようとしているサービスや商材のイメージをシンボル的に組み合わせたり、オリジナルのキャラクターをつくるのも良いと思います。
　最近では、動物のキャラクターで活動するビジネス系アカウントも増えていますね。

ただし、見た目がすっきりしていないとユーザーの印象が悪くなることもあります。あくまでもシンプルかつインパクトのあるイラストにしましょう。

プロフィールは「数字で説得する」

身バレ NG の人は過去・現在を含め勤務先の会社名や詳細な経歴を記載できませんよね。とはいえ経歴がまったくわからないと、本当に信頼できるアカウントなのか伝わらないので、提供しようとしているサービスや情報についての経験や知見は、固有名詞を出すことなく、数字を交えながら伝えると効果的です。

たとえば「10 年間で 100 以上の Web マーケティングのプロジェクトに関わり、そのうち 95％以上のプロジェクトで前年対比 300％超えの売上を達成」という具合です。

ここまで具体的な数字を出してしまってはさすがに身バレすると思われるかもしれませんが、30 社以上転職をしてその先々で華々しい成果を残してきたなど、かなり特殊な例でなければ、まず大丈夫でしょう。

公にできない事情がありながらも X でビジネスを始めたいという人には、それ相応の理由があると思います。

最初のうちは、なんとなく後ろ暗いような気分もあるかもしれませんが、「いずれは、これを本業にする！」というくらいの意気込みで続けていってほしいなと思います。

プレミアムが
おすすめの理由

コストをかけてもプレミアムは導入するべき

アメリカやカナダなどでは 2021 年 6 月から提供されていたプレミアム（X Premium）が、2023 年 1 月から日本でも利用できるようになりました。

ウェブからの申し込みだと月額 980 円（iOS と Android の場合は手数料が必要になるので月額1380円）で利用できる、サブスクリプションサービスです。

有料サービスということもあってか「プレミアムはやったほうがいいでしょうか」という問い合わせが私のところにもたくさん来ますが、結論から言うと、ぜひ導入することをおすすめします。

さんざん「無料で集客できるのは X の大きなメリット」と言っておきながらプレミアムをおすすめするのは、ビジネスで X を利用するのであれば、月額のコストよりもメリットのほうが大きいからです。

サービス内容は随時変更される可能性があると思いますが、2023 年 10 月末現在では、おもにビジネスの視点からメリットでいうと、

- 全角 12500 文字までの投稿が可能
- 最大 60 分の動画が投稿できる
- リプライが優先的に上位に表示される
- 認証バッジを取得できる

などがあります。

2023 年 8 月から導入された広告収益分配プログラムの参加資格にも
プレミアムの加入があるのですが、詳しくは 208 ページで解説します。

表示回数が増えるだけでもメリット大！

これらのどのような点がメリットなのかといえば、X 社からのアカウ
ントに対する評価が高くなることです。その結果、タイムラインに表示
されやすくなり、すなわち表示回数を伸ばすことが期待できます。

X に限らず SNS は、見られる時間が長いほど、その投稿を高く評価
します。12500 文字の投稿や 60 分の動画は、当然その時間が長くなる
ので、X 社から高く評価され、より多くのユーザーのタイムラインに表
示され、結果、フォローされるチャンスも拡大するということです。

長文の投稿であれば、自分が発信する情報について、より丁寧にユー
ザーにアプローチできることにもなるので、当然その点でもメリットが
あります。

また、以前は X から公認されたユーザーだけに付与されていた認証
バッジが、お金を払えば付与されるようになった点も大きなメリットで
す。認証バッジがあることで、信頼性の高いユーザーだと思ってもらえ
るでしょう。

これらのほか、一般向けのサービス概要には記載がないものの、無料
版よりも投稿の表示回数を優遇することが発表されています。

フォロワーがいなければ、表示回数を増やすためにいろいろな工夫と

努力が必要になりますが、プレミアムであれば、月額わずかな金額で下駄をはかせてもらえます。

しかも導入してみて、自分には必要ないと思ったら、すぐにキャンセル可能。リスクはほとんどないのが、プレミアムです。
利用しているユーザーが少ないうちのほうが先行者利益を得られるので、まさに早いもの勝ちです。

ちなみに 2023 年 10 月末にはプレミアムの他に、新たにベーシックと X プレミアムプラスが発表されました。ウェブからの申し込みだとベーシックは月額 368 円、X プレミアムプラスは月額 1960 円です。
ベーシックは安いのですが、リプライの上位に表示される効果が弱くなってしまうので、本気で運用するのならまずはプレミアムから始めることをおすすめします。
プレミアムで成果が出たら、X プレミアムプラスを検討してみるのが良いでしょう。

固定ポストで親近感を演出する

固定ポストは「会食での自己紹介」のようなもの

プロフィール文と同じくらいに価値があるのが、プロフィールの直下に表示される「固定ポスト」です。固定ポストの役割は、プロフィール文では伝えきれなかったことをユーザーに知ってもらうことです。

リアルな場でたとえれば、プロフィール文は大勢の前で行うプレゼンでの自己紹介、固定ポストは会食や、くだけた打ち合わせの場での自己紹介というイメージです。

固定ポストはプロフィールの下にあるので、少しだけスクロールしないと見ることができません。わずかな手間ですが、その手間をかけて自分のことをもっと知ろうとしてくれるユーザーには、もう少し深く、パーソナルな部分も含めて自分のことを知ってもらおうということです。

ポストする内容は、出身地や趣味など、人となりがわかり親近感がわくもの、あるいは他のSNSをやっているのであればそのURLなど、プロフィールでは書ききれなかったものです。飲み会で初対面の人と話を始めるときの話題をイメージするといいかもしれません。

ただ、パーソナルな情報とはいえ「昨日食べたラーメンが美味しかった」などの日常的な話題は避けるべきです。これは固定ポストに限った話ではなく、タイムラインに流れるポストでも同じことです。

想像してみてください。

あなたが働いている会社にコピー機の飛び込み営業が来て、仕事の話を始めるのかと思ったら「昨夜食べたラーメンが美味しかったんですよ！」と言い始めたら、当然「……で？」となるでしょう。それと同じです。

固定ポストは、お役立ち情報の告知場所として使うことも有効です。

たとえば、新たな商材の発売告知や、無料のドキュメントを作成してリンク先を共有するなど、ユーザーにとってメリットとなる情報を固定しておけば、プロフィールを見たユーザーに、さらに興味関心を持ってもらえます。

固定ポストに悩んだときには

今までのポストの中で、もっとも反響のあった渾身のポストを固定しておくという方法もあります。

それだけ反応があったということは、多くのユーザーが求めている情報ということですから、プロフィールの下において目につきやすくしておけば、フォローされる可能性もより高まるでしょう。

固定ポストがない場合、ユーザーにはポストのタイムラインを遡ってもらう必要があり、少々不親切です。少しでも興味を持ってくれたユーザーに自分のイチオシ情報を届けられるよう、目に留まりやすいように見せる工夫も重要です。

成功者の
「ワザ」を自分の
ものにする

「成功者をマネる」が成功への近道

「成功者」はライバルではない

Xでの集客成功の秘訣は「いかに成功者のマネをするか」です。うまくマネができればできるほど、成功の可能性が高まります。

すでに成功しているアカウントと同じことをしても勝ち目はないのではないかと思う人もいるかもしれませんが、実は違うのです。

たとえば、あなたがライバルだと考えるアカウントのフォロワーが10万人いるとしましょう。では、あなたが進めようとしているビジネスの成功に必要なファンの数は何人くらいでしょうか?

同じくらいの規模のフォロワーを獲得しようと思ったら、多額のコストをかけ、競合とは異なるマーケティングを展開する必要があるでしょう。しかし、そこまでの規模が必要ないのであれば、すでに確立されている「成功者の方法」をなぞるのが、もっとも確実です。

キャラクターやポストの内容、投稿のタイミング、そしてフォロワーとのコミュニケーションの取り方などを徹底的に学び、反復して実践すること。
そうしていけば、時間はかかるかもしれませんが、自分のファンは着実に増えていきます。

逆に、飛び道具的にセオリーから外れたことをしても、集客は成功しません。

妙な対抗心を燃やして逆張りなどはせず、素直に「成功のセオリー」を愚直なまでに再現していくことが王道です。

マネはしても盗作はするな!

もちろん、成功者のマネをすると言っても、同じ内容の商材をつくったり、同一のポストを投稿したりするのは論外です。

それはもはや「マネ」ではなく、ただの「盗作」です。

X投稿のタイミングや頻度など、誰がやっても同じものはまったく同じでも構いませんが、投稿の内容などは「この投稿はユーザーを元気づける目的だな」「購入に結びつくのはこの言葉なのか」という具合に、それぞれの意図を理解したうえで表現を自分でアレンジする必要があります。それが王道の"マネ"です。

お手本にするべき
アカウントとは

超人気アカウントのマネをしてはいけない

　成功者のマネをするためには、まず、ベンチマークとするべきアカウントを選ぶ必要があります。

　とはいえ、単純にフォロワー数の多さや、リポストや「いいね」などのエンゲージメントの数で、お手本となるアカウントを選んでもうまくいきません。X初心者と数万人のフォロワーがいるアカウントでは、取り組むべきことが違います。

　楽器の練習でも初心者と中級者、上級者ではやることが違います。ギターを始めたばかりの人に超絶な速弾きの練習をさせても、ギターを弾けるようにはなりません。

　X初心者がするべきことは、まず自分の存在をより多くの人に知ってもらい、ファンになってもらうきっかけをつくることです。数万人単位でフォロワーがいるアカウントは、すでにこの段階を過ぎているので、フォロワーとのコミュニケーションの取り方も当然違います。

　ですから、やみくもに人気アカウントのマネをしても思うように集客ができないという結果になってしまいます。

フォロワー3000～5000人のアカウントを追え！

　では、X初心者がベンチマークとするべきアカウントを具体的にいうと、「開設1年以内で3000～5000人のフォロワーを獲得しているアカウント」です。

　もっと短期間で、これ以上の数のフォロワーを増やしているアカウントもあります。同じマネをするのでも、そちらのほうが効率的で良さそうだと考える人もいるかもしれません。

　なぜそのようなアカウントではなく「開設1年以内で3000～5000人のフォロワー数」のアカウントなのか。
　それは、大きなバズを起こすことなく着実に更新を続け、フォロワー数を伸ばしてきたアカウントである可能性が高いからです。

　正攻法で力をつけてきたアカウントの、投稿の頻度、内容やタイミングなどを丹念に分析することで、成功パターンが見えてきます。

　開設後の半年で数万人レベルのフォロワー数になるというアカウントは、何かのきっかけでバズったか、テレビなどのメディアで取り上げられたりしたことで、いわばイレギュラー的にフォロワーが増えたケースがあります。このようなアカウントは、一言で言えば運がよかったということなので、残念ながら再現性がありません。

　あるいは、プレゼント企画のような、本来の投稿とは関係のないイベントで一気にフォロワーを増やしたのかもしれませんが、これもやはり「良質なフォロワーを集める」という本来の趣旨から外れています。

ちなみに、数万人というフォロワー数と比較すると、3000人ではいかにも少ないように感じられ、お手本と呼んでいいか疑問かもしれませんが、問題ありません。

　メディアでインフルエンサーや芸能人の数万、数十万というフォロワー数が話題になるので勘違いしがちですが、そのようなアカウントはごくごくほんの一握り。

　そもそも、1000人のフォロワーがいるアカウントは、日本におけるX全体の20％程度です。3000〜5000人のフォロワーがいるアカウントは十分な上位層であり、個人レベルでビジネスや情報発信をしていくのであれば十分なフォロワー数です。
　そしてそのアカウントのマネをしていけば、自分も上位層の仲間入りができるのです。

お手本にするアカウントを超効率的に探す方法

ツイプロを使った類似アカウントの見つけ方

では、具体的にどうやって、開設1年以内で3000〜5000人のフォロワーを獲得しているアカウントを探すのか。

Xで自分とターゲットが似ているアカウントをひとつずつチェックしながら、条件にあてはまるものを探すことはできますが、途方もない時間がかかり、現実的ではありません。

そのときに役立つのが「ツイプロ」(https://twpro.jp/) というサイトです。

ツイプロとは、探したいカテゴリのXアカウントを瞬時に見つけ出す検索サービスです。各アカウントのフォロワー数やポスト数、Xを始めてからの日数や投稿の頻度などもわかるので、Xで1件ずつアカウントに当たるよりも、はるかに効率的に自分が参考とするべきアカウントを探せます。

ツイプロはプロフィールでアカウントを検索できるので、たとえば「SNS集客」「TOEIC対策」など、自分のアカウントに関するキーワードを入力すると、それに近いアカウントが一覧表示されます。

フォロワー数が表示されるので、ベンチマークとするフォロワーが3000〜5000人というアカウントもすぐに見つけられます。

「逆順に検索する」にチェックを入れずに検索すると、アカウントはフォロワーの多い順に表示されます。また、活動日数もわかるので、開設後1年以内という条件を調べることができます。

　ここでプロフィールを見て、ベンチマークになりそうなアカウントがあったら、そのアカウントの詳細な情報をチェックします。

　条件があてはまるアカウントがあったら、今度はどのようなポストをしているのか見てみます。

● ツイプロの検索画面

①キーワードを
　検索

②アカウント名
　をクリック

● アカウントの詳細画面

アカウント開設
からの日数
（365日以内が目安）

フォロワー数
（3000〜5000人が
目安）

投稿回数は多いものの、他人の投稿をリポストばかりしているパターンのアカウントはベンチマークとして参考にならないので、候補から外してください。

　内容のある投稿をしていて、それに対してきちんとリポストされていたり、「いいね」がついているなど、フォロワーの反応がわかる投稿が多いアカウントを選ぶようにしましょう。

　このベンチマークを探す作業は、ツイプロを使っても多少の時間がかかりますが、ここは非常に重要なので、いいお手本をじっくりと探してください。

　そしてある程度目星がついたら、この中から、最低でも5個、できれば10個のアカウントをベンチマークとして選びます。

　もちろん、5人すべてをツイプロで探さなくても、起点となるアカウントを決めて、そのつながりから条件に合うアカウントを見つけるという方法でも問題ありません。

　自分が取り組もうとしているカテゴリーが特殊すぎて同種の5個のアカウントを見つけられないということがあっても（そのようなことはほとんどないと思いますが）ベンチマークがひとつだけというのは避けてください。

　基本的には、複数のアカウントから共通点や、その反対に、他のアカウントにはない有効な方法などを見つけて、それを実行していくのが目的です。

　ベンチマークがひとつだけでは、そのアカウントだけの特殊例という可能性もあり、また、なかなか視野を広げることができず、学びにはなりません。

伸びている投稿を
Xで分析する

注目するのはインプレッションの多い投稿

　こうして、ベンチマークを決めたら、今度はXで投稿内容についての分析を進めていきます。

　投稿を分析する上で重視するべきは表示回数、いわゆるインプレッション数です。インプレッション数が多いということは、多くのユーザーから見られている価値のある投稿だからです。

　インプレッション数はツイプロからではわからないので、X上で確認する必要があります。

X上での投稿の分析方法

分析する内容は、おもに次の3点です。

- ポストの内容
- 文章の構成
- 投稿時間

投稿内容の分析は、ツイプロではなくXで行います。

ツイプロでも「人気ポスト」でポストの傾向を見たり、フォロワー数の推移などを調べることはできますが、ここではもう少し詳細な分析をしていくので、X上で進めていきます。

ちなみに、分析対象とするアカウントは、Xのリスト機能で自分専用のリストを作成し、そこに追加しておくのがおすすめです。リスト化したアカウントのポスト以外は表示されなくなるので、動きも追いやすくなります。

クリックすると
リストが表示される

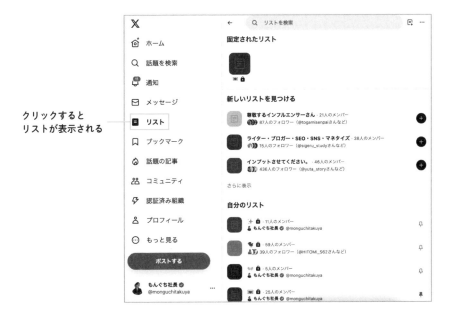

1 ポストの内容

取り上げているテーマと、発信している切り口を分析します。

たとえば、Xの新機能をテーマにした投稿であれば、機能を一覧にしてまとめているのか、あるいは「こんなことができそう」と新機能の利

用シーンを紹介しているのか、分類していくとフォロワーに刺さるのは
どのような切り口なのかを分析しやすくなります。

2 文章の構成

1で何について書かれたポストかという「内容」に着目したあとは
文章の形式や組み立て方といった「構成」を分析していきます。

伸びるポストは、内容はもちろんですが、読みやすい、あるいは興味
を引きやすい構成になっていることが多いです。

構成にはいろいろなパターンがあり、たとえば次のようなものです。

- 一文ずつ箇条書きにして文章を短く感じさせる。
- 冒頭で意外性のある結論をスパッと言い切り、あとに続く興味を
  抱かせる。
- 「○○な人は必見！」「こんな人はいませんか？」のような問いか
  けであおる。
- 画像を入れる。

こちらは Chapter8 にある〈今すぐマネできる投稿の型 81 選〉を参考
にして、伸びるポストとはどのような構成になっているのか、分析して
みるとわかりやすいでしょう。

● 構成が異なるポストの例

〈結論＋具体的な内容〉

 もんぐち社長 ✓ @monguchitakuya · 4月11日 ···
【ご報告があります】
ずっと黙っていたのですが、
『4/13 18時』に僕から案内があります。

結論、僕も想定していなかった事が起きてしまいました。

今の固定ツイートに置いてる無料特典は約5000名の方に受け取っていただきました。

正直、想像以上の反響でありがたい限りです🙇

〈会話形式〉

 もんぐち社長 ✓ @monguchitakuya · 1月25日 ···
僕氏「Twitter本気出します！」
先輩「やめとけ、あんなん使えない」
僕氏「はい…(自分知らんやん…)」
先輩「Twitterはオワコン。雑魚の集まりやで！」
僕氏「…（それ言ってるお前が雑魚や）」
先輩「どうやった？」
僕氏「3年で9万フォロワーいって3億稼ぎました」
先輩「ま？」

③ 投稿時間

投稿には読まれやすい時間帯があります。

ユーザーがXを見るのは、普通、手の空いている時間です。

仕事をしている人であれば、往復の通勤電車の中や昼休みでしょう。あるいは専業主婦なら、朝の家事が一段落した時間や、昼食のあとから夜ご飯の準備を始めるまでの時間帯などかもしれません。

どんなに内容が濃くて読みやすい投稿であっても、読んでくれる相手がいなければ、残念ながら意味がありません。伸びる投稿はこの時間帯をしっかり狙って、配信しています。

ターゲットの属性によってこの時間帯は違ってきますので、そこはベンチマークとするアカウントが配信している時間帯を確認してください。

どんどん投稿をつくってガンガン配信していこうという意気込みは大切ですが、くれぐれも空回りにならないように注意してくださいね。

目標は半年で1000人の フォロワー

正しい目標を定めよ

　初心者にありがちなことのひとつに、あまりの反応のなさに「途中で心が折れる」ということがあります。

　自信のあるポストをつくり、どんどん投稿しているにもかかわらず、リプライや「いいね」がないのはもちろん、インプレッションもほとんどないという状況が続けば、たしかに「自分は月か砂漠で独り言を言っているんだろうか……」という徒労感に襲われても無理はないと思います。そしてその結果、当初の情熱は消え、Xから撤退……。

　しかしそれは、その人の能力不足ということではなく、単に成功する方法を知らなかっただけです。自己流ではうまくいかないのも当然です。そして、もしかしたら目標とするフォロワー数があまりに高すぎたことも、挫折した原因のひとつかもしれません。

1000人のフォロワーで十分な理由

　いったいどの程度のレベルまで行けばまずは成功と言えるのか、不安に思うかもしれません。

　「たった半年で2万フォロワー獲得！」などの情報が世間にはあふれていて、そのようなあおりを見ていたら「そこまで行くのが普通なの

か！」と考えてしまうのも無理はありません。

　ここで断言しますが、そんなにフォロワー数を増やす必要はありません。目標は「半年で1000人」で十分です。

　金額やフォロワーとの関係値によって異なるため一概には言えませんが、商材を買ってくれたり採用に進んでくれたりする割合は、フォロワーの1〜10%くらいです。なので、フォロワー1000人ほどで結果が見え始めるのです。

　そもそも、1000人のフォロワーがいるXユーザーは全体の20%程度しかいません。
　Xを始める前は「たった1000人でいいのか」と思うかもしれませんが、実際に始めてみると、急激にフォロワーを増やすことは難しいことがわかると思います。

　おそらく、Xを始めて3ヶ月くらいは手応えを感じられない人もいると思います。頑張りどころは、そこからです。諦めずに正しい方法でXを続けていけば、ブレイクするときが必ずきます。

　そして着実にフォロワーは増え、半年経つころには1000人前後に到達しているはずです。
　もちろん半年でそこまで達成できなくても落ち込むことはありません。もう少し時間をかけてじっくり取り組めば、到達できます。

　本書の読者の皆さんは、あおり文句に左右されず、また途中で離脱することなく、地に足の付いた「半年で1000人」を目標にXに取り組んでください。

「心をつかむ投稿」を戦略的に発信する

戦略的な投稿で フォロワーの心をつかむ

「勝ちパターン」を見出す4つの視点

　ここまでアカウントやペルソナの設定、プロフィールのつくり方、ベンチマークとするべき成功者の探し方について説明してきました。

　しかし、それらは重要な要素であるものの、あくまでも下準備です。この章で説明する投稿こそが、X集客の成功を決める最重要ポイントです。

　アカウントが認知され、関心を持ってもらい、フォローされ、そしてファンになってもらう。そのすべてのきっかけは、ユーザーに刺さる投稿です。そもそも投稿に興味を持ってもらえなかったら、プロフィールが閲覧されることすらないからです。

　また、たとえユーザーの興味をひく投稿ができたとしても、いきあたりばったりの投稿を続けていては、ファンづくりという目的は達成できません。

　必要なのは、再現性の高い「勝ちパターン」を見出し、戦略的な投稿を継続すること。
　具体的には、次のことを考慮しながら進めていきます。

- 目的に合わせたポストをつくる
- 配信のタイミングを守る
- インフルエンサーの力を利用する
- タイムライン表示のアルゴリズムを把握する

投稿の「目的」は5つ

プライベートのXでは考えもしなかったと思いますが、ビジネスで自分のファンをつくるためには、投稿の目的を設定することが不可欠です。投稿の目的とは、ポストすることで、ユーザーとどのようなコミュニケーションや関係性をつくろうとしているのかということです。

また、目的によって投稿内容もある程度決まってくるので、投稿をつくりやすくなり、かつ量産しておくことも可能になります。

投稿の目的は、次の5つに分類できます。

1 仲間意識を高める

自分のフォロワーに挨拶するという感覚です。「近所の人」「常連さん」のような、仲間意識付けが狙いです。

ポストの内容としてわかりやすいのは、朝の「おはよう」の挨拶など。これらをルーティンにすることで、親近感と安心感を生むことができます。

2 信頼性の向上

「この人が言うことなら、まず間違いはないだろう」「この人は物知り

だな」など、自分自身、そして発信する情報への信頼度を高めることを狙っています。

　ポストの内容は、知っていると役に立ちそうな、いわゆる小ネタが多いです。ネタ探しのヒントとしては、Google 検索やメディア記事のランキングで上位であり、かつ知恵や知識として有用性の高いものを拾うといいでしょう。

❸ 権威性の向上

「自分がこの道での権威であること」をユーザーに意識付けます。その結果、投稿に箔が付きます。

　投稿内容は、「○○万円の売上をつくった」「イベントをやったら1000人集まった」など、具体的なデータで示せるものがよいでしょう。

❹ 共感を得る

　ユーザーから「そうだよね！」「わかるよ！」といってもらうための投稿です。単なる情報ではなく、エモーショナルな要素が多くなります。

　投稿内容は、自分の過去の失敗談や、いわゆる「あるある」ネタなどがつくりやすくおすすめです。

❺ 行動を促す

　ユーザーに何かの行動をしてもらいたいときの、背中を押す一言です。自分が販売している商材の購入や、フォロワーになってもらうことなどを促します。

　ユーザーをあおってみたり、特典を紹介するなどの方法があります。

　これらの目的を踏まえたうえで、適切な単語を選べば、ユーザーの関心がひける投稿をつくれるようになります。

115 ページからの〈投稿文に入れるだけで反応される「鉄板ワード」〉と 123 ページからの〈今すぐマネできる投稿の型 81 選〉を活用すれば、いくつでも刺さる投稿をつくることができるので、ぜひ参考にしてみてください。

「勝てる人」の投稿時間と頻度

投稿は朝・昼・夜の3回で内容も変える

投稿には、読まれやすい時間帯があります。

自分のライフスタイルを思い返してみてください。Xをよく見ている時間帯は、ある程度決まっているのではないでしょうか。

一般的な会社員であれば、通勤時間や昼休み、そして就業後というところでしょう。あるいは専業主婦なら、ランチ後からお子さんやご主人が帰ってくるまでの間が、Xに触れている時間が比較的長いことがわかっています。

そして時間帯ごとにXの利用人数や利用者の属性は変わるので、読まれやすい内容も変わっていきます。

私は以下のように時間帯ごとにターゲットを意識して、投稿内容を微妙に変えています。

	時間帯	ターゲット
朝	6〜7時	まだ自分をフォローしていない人
昼	11時57分	自分をフォローしていて、自分のポストに関心を持っている人
夜	17〜18時 19〜20時	自分をフォローしているが、TLに流れてくれば見る程度のライト層

40万回以上のポストを分析した結果、これがフォロワー内外からの反応を最大化できると確信しました。

そこでおすすめなのが、そのような時間帯を狙って、最低でも朝、昼、夕方〜夜の1日3回のポストをすることです。

朝・昼・夜の投稿内容とは

朝にはフォロワーに向けた内容ではなく、一般的に関心を持たれそうな内容を投稿してください。

なぜなら、朝は通勤時などにXを開く人が多いことからリポストや「いいね」などのエンゲージメントが期待できます。その結果、フォロワー以外の新規ユーザーの目に触れる確率も高くなる時間帯なのです。

たとえば、ある朝の私の投稿です。
SNSマーケティングとは関係のない新規ユーザーにも興味を持ってもらえそうな内容にしています。

 父の収入で子どもの選択肢が決まるということに対しては理解不能です

そして昼はコアファンに向けた内容を、夜は既存のフォロワーに向けた内容を投稿しています。

たとえば次のような投稿です。

アクティブなアカウントと絡むって、超重要。
さらに言うとフォロワー数は自分と同じくらいで、同系統のジャンルのアカウント。

こういうアカウントと絡めばフォロワー数は伸びるのに、最近忘れている人多くない？

私のフォロワーの関心は、やはりX集客の成功にあるので、X集客に関する「役立つ情報」「面白そうな情報」を発信し、朝のポストとの内容が違うことがわかると思います。

このようにバリエーションをつけたポストを1日3回、休みなく続けてください。なお、どうしても1日3回のポストが難しいという人は、利用者の多い朝だけでも必ず投稿してください。

どうしても朝の投稿内容が思いつかないときには、ニュースサイトのランキング上位からネタを考えるという方法もあります。
たとえば、もしお金系のポストをしているのであれば、お金に関する時事ネタを取り上げたりすれば、自分のアカウントとも関連性があり、納得感のあるポストになります。

「リプライ」「リポスト」「いいね」「ハッシュタグ」の活用法

他人の影響力を借りろ

　Xを始めて間もない段階では、投稿を続けるのはもちろん大切ですが、それだけではインプレッションが伸びません。

　そのため他のユーザーに自分の存在を知ってもらうのが難しく、なかなかフォロワーが増えないということになりがちです。

　その解決策として有効なのが、既存アカウントのパワーを借りながら自分の認知を拡大していく、「リプライ」「リポスト」「いいね」「ハッシュタグ」の活用です。

　これによって、自分のポストだけでは達成できないインプレッションの拡大やフォロワーの増加を実現できます。

　学生時代にクラスで独り言をつぶやく人よりも、友達の輪に入って話す人のほうが周囲への影響力は大きかったのではないでしょうか。SNSでも同じことが言えます。

　そこで、それぞれの特徴と活用法を紹介していきましょう。

1 リプライ
　リプライとは、他の人のポストに対して返信をすることです。
　リプライによる狙いと送るべき相手は次のとおりです。

〈狙い〉
● 元のポスト主と良好な関係を構築
● Xのアルゴリズムに「他のアカウントと積極的にコミュニケーションをとっているアカウントだ」と認識されることで、インプレッション数が拡大
● 影響力のあるアカウントの場合、多くのフォロワーがそのリプライにも注目しているため、自分のリプライがたくさんの人に見られたり、フォローされる可能性が高くなる

〈送るべき相手〉
● フォロワー数が5000人以上
● ポストの平均インプレッション数が1万回以上
● 発信する専門分野が同じ、または自分のアカウントに関連する情報を発信している

　なおリプライをする際に重要なのは、ポストの内容に共感していることをきちんと示すことです。
　情報提供のポストであれば「勉強になります！」、行動を促すものなら「やってみます！」など、きちんと元の投稿文を読み、ポジティブな感想を抱いていることを相手に伝えましょう。

　誰しも褒められればうれしいし、わざわざ気に入らない人と付き合おうとは思いません。相手に喜んでもらうリプライを常に心がけてください。

　そして褒めるだけではなく、投稿文には自分の意見を盛り込むことも大切です。先述のとおり、自分のリプライに関心を持ったユーザーはプ

ロフィールを見にきてくれる可能性があります。具体的な自分の話を盛り込むことで、関心を持ってもらえる確率が上がり、それは同時にプロフィール訪問率の向上につながります。

またリプライをするのは、リプライ対象のアカウントがポストしてすぐのタイミングが効果的です。
「ポストしたばかりなのに、もうリプライが来た！」と印象に残り、それがより親密な関係づくりにつながるからです。

2 リポスト

リポストには、元ポストをそのまま投稿する「リポスト」と、自分のコメントを追加して投稿する「引用ポスト」の2種類があります。
ここでは集客するうえでより効果的な「引用ポスト」について解説します。

引用ポストによる狙いと送るべき相手は次のとおりです。

〈狙い〉
- フォロワー数の多いアカウントに自分の引用ポストをリポストしてもらうことで、元のポスト主のフォロワーに自分の引用ポストを届け、認知度の向上や新規フォロワーの獲得につなげる

〈送るべき相手〉
- フォロワー数が5000人以上
- ポストの平均インプレッション数が1万回以上
- 発信する専門分野が同じ

リプライでも、元ポスト主はリポストできますが、その場合、どうしても「こんなふうに褒められました」といった、手前味噌な雰囲気が感じられます。

　一方、「この〇〇さん（元のポスト主）の意見は、正しいと思う。なぜなら……」「〇〇さんのこのポストは、こんな人にぜひ見てほしい！」という引用ポストであれば、客観性や透明性があり、さらにポジティブな意見なので、ポスト主にとってもリポストするメリットが十分にあります。

　そしてこのときに効果を発揮するのが、リプライで築いておいた信頼関係です。
　「いつも丁寧なリプライをくれる人が、こんな引用ポストをしてくれている。こちらもお返しにリポストしておくか」となるわけです。

　なおリプライと違い、リポストは自分のタイムラインに残るものです。そのためリポストばかりでは、自分のアカウントの価値を毀損しかねません。自分のタイムラインは本来、オリジナルのポストで埋めていくべきなので、引用ポストは1日3件程度におさめておきましょう。

　また、実際には共感していないのに、影響力を期待してリポストをするのも本末転倒です。シンプルに共感した場合、人にすすめたいと思った場合にリポストするという当たり前の姿勢で取り組んでいないと、自分の発言が矛盾してくるなど、どこかで無理が出てきます。

　ちなみに私は、単にフォロワー数を増やすためだけにお互いにリポストをし合う「相互リポスト」はおすすめしません。たしかに相互リポストをするとフォロワーは増えますが、タイムラインがリポストだらけになってしまいます。

また、いわば同業者のフォロワーなので、フォロワー向けにセミナーやコンテンツ販売などをしようとしても、反応はほとんど期待できないでしょう。これは理想的な集客とはほど遠いと言わざるを得ません。

　リポストをするのであれば、実際に価値のある内容でつながりをつくれるよう心がけてください。

❸ いいね

　リプライやリポストのように時間をかけることなくボタンを押すだけで良いので、初心者にはやりやすいコミュニケーションと言えます。「いいね」による狙いと送るべき相手は次のとおりです。

〈狙い〉
- 自分のポストにも「いいね」をしてもらい、ポストのエンゲージメントを上げたり、「いいね」をしたアカウントのフォロワーのタイムラインに表示される可能性を上げる

〈送るべき相手〉
- フォロワー数が自分と同等〜＋3000人
- 毎日情報を発信している
- 発信する専門分野が同じ、または自分のアカウントに関連する情報を発信している

　自分のポストにも「いいね」をしてもらうことが目的なので、毎日発信しているアクティブなアカウントであることが重要です。
　ただし、あまりにも「いいね」をしすぎると規制がかかり、自分のポストや他の人へのリプライが表示されなくなったりします。「いいね」

は多くても 1 時間で 5 〜 10 件程度にしておくのがよいでしょう。

4 ハッシュタグ

ハッシュタグをつけてポストすることで、フォロワー以外のユーザーにもポストが見られやすくなります。フォロワーが 5000 人くらいまでなら、発信する情報と関連性の高いハッシュタグを上手に使っていきましょう。

ただ、ハッシュタグは検索リンクなので、自分のポスト内のハッシュタグから他人のポストに飛ばれ、離脱されるリスクがあります。**フォロワー数が多くなったら、ハッシュタグは外して投稿してください。**

特に初期段階では、「リプライ」「リポスト」「いいね」といった、X 内でのコミュニケーションが非常に大切です。

ネットワーク上のつながりであっても、結局は人間同士のやりとりです。せっかくの縁を大切にしながら、理想の集客を実現しましょう。

人を動かす文章をつくる「PASONAの法則」

自然と心を動かす文章

　プレミアムの登場により、X上でも長文を書くことができるようになりました。

　長文のほうが伝えられる情報が豊富で、さらにインプレッション数の増加も期待できるとなれば、毎回長文ポストをする必要はないものの、積極的に取り組むべきでしょう。

　しかし普段は長文を書く機会もないし、文章の作成には苦手意識がある……という方に実践してほしいのが、「PASONAの法則」です。

　これは、著名マーケターの神田昌典さんが提唱されている、読んだ人の共感を呼びやすく、また行動も起こしやすくする文章の構成方法です。

　「PASONA」とは、次の6つの構成要素の頭文字をとったもので、この内容の順番に文章をつくっていきます。

● **Problem**（問題。メッセージを伝えたい相手に、改めて課題を思い起こさせる）
例）「最近、部下とのコミュニケーションに悩んでいませんか？」

● **Affinity**（親近感。相手の課題を理解していることを感じてもらう）
例）「マネージメントの経験がゼロなら悩んで当然です。でも少しのコツを知れば、誰でも改善できます。」

107

● **Solution**（解決策。解決する方法を紹介する）

例）「そのコツを知れるのが、会話術のプロ○○社長の本『部下との会話術大全』です。」

● **Offer**（提案。具体的な商品・サービスを提案する）

例）「この本を読めば、たった7日間であなたの会話術は一気に上達します。通常は1500円ですが、今だけ500円で買えます。」

● **Narrow**（適合。購入して満足してもらえる人の条件を絞る）

例）「ただし、本気で変わりたいと思っている人に限ります。」

● **Action**（行動。最後のひと押しで行動を促す）

例）「今すぐ以下のリンクから購入してください！」

　消費者からすると、商品の購入を押し付けられている印象がなく、それでいていつの間にか「買わなくては！」という気にさせるというところが、うまく心理をついていると思います。

まずは意識付けから始めよう

　まずは「問題」→「親近感」→「解決策」→「提案」→「適合」→「行動」という流れを意識してみるだけで、文章は引き締まります。

　プレミアムでの長文投稿には、「PASONAの法則」をぜひ意識してみてください。それだけで長文を書くのはずっとラクになります。

フォロワーが思わず 反応してしまう 「最強の文章術」

まずは見てもらわないと、何も始まらない

ポストに関するデータで、私がもっとも重視しているのがインプレッション数です。

フォロワーを増やすことが目的ではないとしても、インプレッション数を増やして、より多くのユーザーに自分のポストを見てもらわなければ、コミュニケーションも始まらないからです。

インプレッション数を増やすための方法はいろいろありますが、Xのアルゴリズム上、ポイントが高いのはリプライや、受け取ったリプライへのリプライであることが公表されています。

つまり、リプライをもらいやすいポストを多くすることで、インプレッション数も増えていくということです。

リプライが多く集まる投稿とは?

本質的には、役に立つポストをしていくことが、ファンづくりにはもっとも求められることです。

その点を理解してもらっていることを前提に、あくまでもインプレッションを増やすためのテクニックとして、リプライをもらいやすいポス

トのつくり方を紹介すると、ポストの冒頭に「おはようございます！」などの挨拶を入れたり、ポストの最後に「リプライは〇〇（短い言葉）でOK！」というフレーズをつけておくと、リプライが集まりやすくなります。

 もんぐち社長 ✔️
@monguchitakuya

おはよう！

Xは土日伸びにくいけど、土日こそやり込む人が勝てます。

そういうもんです。

せーーーのっ
頑張ろうな！！
(リプは"頑張ろうな！！"でOK)

　自分のキャラクターや相手との関係性にもよりますが、実生活でも挨拶をされると、自然に挨拶を返したくなるものですよね。内容のあるポストであればなおさら、相手は感謝と共感をもって、挨拶を返してくれるようになるでしょう。

　後者の場合、「おはよう」や「こんにちは」といった挨拶以上に、リプライがあるかどうか、アカウントの個性によるところが大きいと思います。
　私はこのようなポストでフォロワーをあおっていますが、キャラクターに応じて、どのような呼びかけが自分にふさわしいのか考えてみてく

ださい。

　どうしても思いつかないという人は、「この意見に賛成の人は『賛成』、反対の人は『反対』とリプライをください」とか「AとBのどちらがいいと思うか、リプライをお願いします」など、フォロワーに質問を投げかけてみるのもいいかもしれません。

　なお言うまでもありませんが、多くのリプライを期待できるからと言って、炎上狙いの投稿などは論外です。あくまでもポジティブな内容で、リプライを返してもらえる投稿をしていきましょう。

【最新版】
Xのアルゴリズム

タイムラインの表示を決める「アルゴリズム」

どのポストをユーザーのタイムラインに表示させるのか。
それを決めているのが、Xのアルゴリズムです。

関心のあるポストをいろいろと見ていると、いつの間にか、タイムラインに同じようなカテゴリーのポストが流れてきます。

「このユーザーが求めている情報はこれだ」とアルゴリズムが判断して、各ユーザーのタイムラインにポストの出し分けをしているのです。

それだけでなく、アルゴリズムはポストの価値を判断します。そして価値が高いポストは、より多くのタイムラインで表示されるようになります。

逆に言えば、アルゴリズムに"価値が高い"と判断されるポストをすれば、より多くのユーザーのタイムラインに表示される、すなわちより多くのインプレッションを稼げる可能性があるということになります。

どのSNSでも、このアルゴリズムが公になることはほとんどありません。本来は価値が低いポストであっても、アルゴリズムが「価値がある」と判断するアクションを起こすことでインプレッションを増やすことが可能になり、投稿の価値が混乱し、プラットフォームの信頼性が揺

らぎかねないからです。

　そのため、長年Xに取り組んでいる人たちは、経験則から「このようなポストや行動をすれば、高く評価されるだろう」と推測し、活動を続けてきました。

　ところが先日、X社がポストをタイムラインに掲載するアルゴリズムを公開したのです！

　これを知っているのと知らないのとでは、インプレッション数に大きな差が出ます。さっそくそのアルゴリズムの説明をしましょう。

大公開！これがXのアルゴリズム

　ポストに対する価値の判断基準は、おもに次の2つです。

1 ユーザーの滞在時間（ポストを読んでいる時間、見ている時間）の長さ

　X社の収益の多くは、広告収入です。ユーザーが長い時間ポストに触れていれば、それだけ広告との接触機会が増え、広告を見られる可能性が高くなります。そのため、そのようなポストは価値が高いと判断されます。

　そこで発信者側のするべきことは、じっくりと読み込ませる有益な情報を発信することです。たとえばプレミアムの導入による長文のポストや、画像付きのポストです。

　長文のポストや画像は、短文のみのポストよりも読むのに時間がかかるので、結果的に高い評価を得られます。

すべての投稿に画像を貼りつける必要はありませんが、力の入っているポストの場合などは、画像も合わせることで、より多くのインプレッションにつながる可能性が高いといえます。

2 ユーザーからの反応の多さ

　リプライやリポスト、「いいね」をされるポストは、他のユーザーにとってメリットのある情報として、価値が高いと判断されます。

　そのために大切なのは、常日頃から他のアカウントと積極的にコミュニケーションを取ること。気に入ったポストには「いいね」を送ったり、リプライで感想を伝えたり、リポストで自分のフォロワーにも宣伝してあげるなど、多くのアカウントと良好な関係を築いておくことで、自分のポストがエンゲージメントされる機会も増え、その結果、多くのインプレッション獲得につながります。

　ただし、アルゴリズムは不変のものではありません。通常、数ヶ月で修正されていくとも言われています。アルゴリズムの変更により、ユーザーが不便を感じて利用時間が短くなったり、プラットフォーム側の売上低下をもたらしたならば、当然、アルゴリズムは修正されます。
　とはいえ、ここで紹介した手法がマイナスの評価になるということは、あまり考えられません（評価されなくなるという可能性はありますが）。

　アルゴリズムを自分の味方にする。
　効率のいいファンづくりのためには、欠かせない視点です。

Chapter 7

投稿文に入れる
だけで反応される
「鉄板ワード」

人の本能を刺激する
「HARM」の法則

伸びやすいワードには「悩み」が絡んでいる

ポストをつくるうえで知っていると役に立つのが「HARM の法則」。

これは、メンタリスト DaiGo さんが著書『人を操る禁断の文章術』(かんき出版) の中で紹介されているもので、一言でいえば「人の悩みのほとんどは大きく4分類される」という法則です。

その4分類される人の悩みとは、「Health」「Ambition」「Relation」「Money」。そしてその頭文字を取って「HARM の法則」と呼びました。

この4分類について、私は「Health」＝健康、「Ambition」＝夢・仕事、「Relation」＝人間関係、「Money」＝お金と解釈しています。

多かれ少なかれ、人は悩みを抱えているものですが、たいていの場合はこの4つのいずれかに集約されるでしょう。

多くの人は、何かしらの悩みを解決したくて、X で情報収集をしています。そこで、「HARM」と世代をかけ合わせて浮かび上がってきた各世代の悩みを軸にポストするワードを選べば、ポイントを外さない、多くのユーザーが関心を持つポストの完成です。

10 代、20 代、30 代～といった世代ごとに、「HARM の法則」で分類した悩みは、ほぼ共通しています。

〈世代ごとに共通する悩み〉

	10代	20代	30代	40代	50代
Health（健康）	容姿	仕事のストレス	出産	身体の衰え	更年期
Ambition（夢・仕事）	受験・進路	就職	仕事・結婚	出世	老後の人生
Relation（人間関係）	学校・友達	職場・恋人	結婚生活	家庭・部下	熟年離婚
Money（お金）	友達と遊ぶ	仕事で稼ぐ	結婚資金	教育・住宅	老後の資金

　もちろん、それぞれの世代で「自分はこんなことでは悩んでいない」という人もいると思います。

　ですから、ここで紹介しているワードは、「このようなワードが刺さる人が、この世代にはたくさんいる」ということだと理解してください。

本当は秘密にしたい「鉄板ワード」を大公開

　健康、夢・仕事、人間関係、お金の4つのジャンルに分けて、「鉄板ワード」を紹介します。

　最後には、思わず反応してしまう「あおり文句」も載せています。

　鉄板ワードを組み合わせて使うことで、より効果的な投稿をつくることが可能です。ぜひ参考にしてください。

健康

「久しぶり、元気？」など、「健康」は挨拶で使われるほど、ほぼすべての人に共通する話題ですが、世代ごとに関心の中心はかなり差があります。

うまくワードを絞ることで、ターゲットに届きやすいポストをつくれます。

伸びやすいワード	類語	
健康	病気	体力
筋トレ	トレーニング	痩せる
睡眠	起床時間	睡眠の質
メンタル	心理的	精神的
体調	コンディション	精神安定
食事	食事バランス	食生活
自己肯定感	自信	自己評価
美容	美肌	肌荒れ
栄養	サプリメント	栄養素
腰痛	膝の痛み	目の疲れ
料理	外食	時短レシピ
健康診断	生活習慣	生活習慣病
若返り	ほうれい線	化粧
整形	手術	入院
介護	看護	介抱

夢・仕事

　世代＝ライフステージごとに明確に関心事が異なるので、選択するワード選びに迷うことはあまりないと思います。むしろ、気をつけるべきことは、言葉遣いかもしれません。

　10代、20代には叱咤激励する雰囲気を、40代、50代には寄り添っている雰囲気を醸し出しましょう。

伸びやすいワード	類語	
副業	本業以上に稼ぐ	個人で稼ぐ
副業禁止	兼業禁止	副業NG
離職	退職	辞職
キャリア	昇給	キャリアアップ
進路	転職	キャリアチェンジ
独立	起業	脱サラ
結果	抱負	未来
行動	過程	継続
挑戦	ゴール	夢
朝活	○時起き	早起き
夢中	熱中	没頭
モチベーション	意志	やる気
チャンス	機会	チャレンジ
成功	失敗	成長
習慣	習慣化	三日坊主

人 間 関 係

　健康と同様、全世代の悩みごとです。世代によってメインとなる関心に違いがありますが、選ぶべきワードは基本的に「家族」「恋愛」「仲間」をイメージさせるものです。

　どのワードを選んでも、その使い方でそれぞれの世代特有の悩みに対応した投稿がつくれるので、さまざまなパターンを試してみてください。

伸びやすいワード	類語	
家族	親子	子ども
結婚	結婚式	結婚記念日
誕生日	生誕祭	○歳節目
感謝	ありがとう	感激
彼女	出会い	一目惚れ
人間関係	関係性	○○の付き合い
ストレス	気疲れ	メンタルダウン
プロポーズ	婚約	婚約指輪
結婚ストーリー	結婚秘話	結婚の決め手
恋愛	婚活	初恋
仲間	友達	同志
上司	同僚	部下
コミュニティ	恩師	メンター
失恋	告白	別れ話
夫婦喧嘩	不倫	離婚

お 金

　世代やライフステージによって差があります。それに応じて反応のいいワードに違いがあります。

　世間で話題になっているお金のニュースと絡ませながら、いろいろな角度から投稿できるよう工夫してみてください。

伸びやすいワード	類語	
貯金	銀行預金	貯蓄
稼ぐ	儲ける	儲かる
自己投資	投資	自分磨き
マネタイズ	収益化	利益
老後資金	老後の貯蓄	年金
収入	給料	月収
借金	借入	負債
コスト	経費	コスパ
格安	最低価格	最安値
年収	年商	手取り
物価	株価	税金
消費税	増税	値上がり
浪費	散財	無駄使い
複利	年利	月利
詐欺	不正	悪徳業者
税金対策	節税	ふるさと納税

あおり文句

限定感を出したり、ユーザーの期待をあおったりする、いわば枕詞のように使用できるワードを紹介します。

伸びやすいワード	類語	
押さえるべきはコレ	ブクマ推奨	ポイントはコレ
秘密	誰にも言わないで	ここだけの話
超有益	有料級	超重要
ノウハウ	有料級のノウハウ	方程式
ご報告	特別なお知らせ	炎上覚悟
完全攻略	攻略情報	徹底解説
再現性が高い	100人中〇人以上に成果が出た	高得点が続出する
絶対に	必ず	100%〇〇
もっとも手軽	誰でも簡単に	今すぐできる
〇〇のみ	〇〇だけ	〇〇しかない
無料プレゼント	無料配布	限定公開
最新版	最先端	新機能
上位〇%	1割の人間が	9割は〇〇
本質	核心	キモ
超危険	要注意	マジでヤバい
超簡単	一瞬で	たった数秒で
悲惨な	最悪の場合	このままいくと…

今すぐ
マネできる
投稿の型81選

マネするだけで心を動かす投稿がつくれる

　フォロワーとの関係性を深めるうえで、心を動かすような投稿を発信することは不可欠です。

　しかし、いざ運用を始めると、どんな投稿をすれば良いか悩んだりネタ切れに困ったりすることもあるかと思います。

　そこで、今すぐマネできる「投稿の型」を用意しました。

　具体例と解説付きなので、「なぜこの投稿が効果的なのか」を理解しながら、日々の運用に役立ててください。

　仲間意識を高める、信頼性の向上、権威性の向上、共感を得る、行動を促す、という5つの目的別に紹介していきます。

　フォロワーから期待できる反応（リポスト・リプライ・いいね）も記載していますので、参考にしてください。

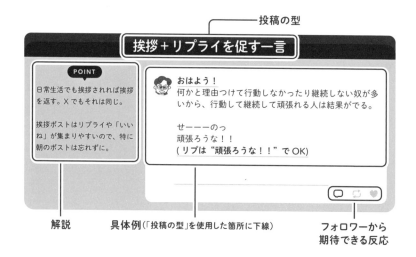

投稿の型

挨拶＋リプライを促す一言

POINT

日常生活でも挨拶されれば挨拶を返す。Xでもそれは同じ。

挨拶ポストはリプライや「いいね」が集まりやすいので、特に朝のポストは忘れずに。

おはよう！
何かと理由つけて行動しなかったり継続しない奴が多いから、行動して継続して頑張れる人は結果がでる。

せーーーのっ
頑張ろうな！！
(リプは "頑張ろうな！！" で OK)

解説　　　具体例（「投稿の型」を使用した箇所に下線）　　　フォロワーから期待できる反応

仲間意識を高める

挨拶＋リプライを促す一言

POINT

日常生活でも挨拶されれば挨拶を返す。Xでもそれは同じ。

挨拶ポストはリプライや「いいね」が集まりやすいので、特に朝のポストは忘れずに。

おはよう！
何かと理由つけて行動しなかったり継続しない奴が多いから、行動して継続して頑張れる人は結果がでる。

せーーーのっ
頑張ろうな!!
（リプは"頑張ろうな!!"でOK）

挨拶＋有益情報

POINT

人は有益な情報や価値提供をきっかけに行動しようと心が動く。
挨拶に加えて有益な情報提供をすれば、お礼がてら、挨拶を返したくなる人も増える。

ただし、朝は難しすぎないノウハウがおすすめ。

おはよう！
何度も言うけど、**プロフィールの1行目にはフォローするメリットを。**誰に何の価値を提供するのかを明確に。

これをやるだけでプロフィールの閲覧からのフォロー率が一気に伸びる。

挨拶＋トレンドワード

POINT

「今日は何の日？」のような、会話のネタになりそうなトレンドワードは関心が高く、認知を取りやすい。

挨拶と合わせて活用しよう。

おはよう！いい肉の日！

肉を大量に食べると年収が上がります。ソースは僕です。

主張＋鼓舞

POINT

主張の背後にある「なぜそうなったか」「なぜそう思うのか」といったストーリーは共感を呼ぶ。

時には自分自身のストーリーを織り交ぜながら主張をしてみよう。

やりたいことがわからないと嘆く前に、**やりたいことがあっても実現できない状況に気づくべき。**

僕は学生時代に勉強をサボったから選択肢が少なくて、社会人1年目は手取り17万円だった。
そこから行動を変えたら選択肢を増やすことができて、今に至る。たった数年の出来事。**やろうや！**

成功ストーリー＋鼓舞

POINT

成功ストーリーを盛り上げる要素として「異常な頑張り」がある。

向上心にあふれるユーザーは、どこかで限界までやらなければいけないことをわかっているし、そのために背中を押してほしいと思っている。

Xに本気を出したのは2020年1月。そこから1日も休まずに更新してるけど、**呼吸するように文字を打てる。**何の苦もない。

運用し始めたころはネタがなくなったり成果もなかなかでなかったりでキツく感じてる人もいると思うけど、しんどいのはマジで最初だけ。**みんなやろうぜ！**

あおり文句＋鼓舞

POINT

「発信内容に困るのはやばい」と危機感をあおりながら、グサっときた方は一緒に前を向こうぜ！と応援するようなポストをして、間接的にリプライに誘導している。

背中を押すようなポストはリプライをもらいやすいので試してみてほしい。

発信内容に困るのはヤバいよ。 それだけ日々学んでない証拠。
10ポスト以上をもう1年以上続けてるけど余裕やで。

ネタに困る＝勉強不足。これでしかない。
グサッときた人!! 応援するから一緒に前を向こうぜ！

ここだけの話＋主張

POINT

「これは秘密だけど」「ここだけの話」などのワードは、ユーザーの好奇心をくすぐるだけでなく、秘密を知ったものだけが得られる優越感や仲間意識の形成にも効果がある。

このフレーズを冒頭につけるだけで、ポストの特別感が上がる。

 ここだけの話なんですが、**リプライで交流しまくってる人はフォロワーもエンゲージメントも爆伸びしてます。**僕のポストに毎回リプライくれる人は全員伸びてます。

Xで色んな人と交流するのは楽しいし、僕はそれで出会った仲間と数億は稼ぎました。めっちゃやらん？

危機感をあおるニュース＋過去の経験

POINT

危機感をあおるネタを扱う際には「ネガティブな事実で危機感をあおる→それをよい方向に変えるためのポジティブな行動を提言する」という流れがおすすめ。

危機感をあおって終わりにしないこと。

 やばない？国へ支払う金額はどんどん上がっていくが、給料は上がらず。さらに物価も上がる。
この状況で未来に向けて何もしてない人は危機感を持ったほうがいい。

僕が会社員時代に副業から頑張って動いてきたのは、危機感からだ。

ポスト数の報告＋応援を促す

POINT

フォロワー数と同じく、ポスト数も実績になるので、キリのいい数字になったらポストするとよい。頑張っている自分にとっても励みになる。

ポスト数はプロフィールに表示されるので、プロフィールのアクセス数も増える。

 これが35万ポスト目です。本当です。

信頼性の向上

主張＋具体的な理由

POINT

何かを主張するときには、「結論→根拠」の流れで。

特に、根拠は数字で示せると、説得力が増す。

 20代30代で貯金は不要。
仮に毎月5万貯めても年間60万、10年で600万。
何かあれば一撃で吹き飛ぶ金額だ。何も守れない。

だったら知識や経験に変換して、さらにお金を生み出せ。**自己投資ほど利回りがいい投資はないぞ。**
僕の周りの結果を出す人はバンバン投資に回してる。
これ大事な。

話題のニュース＋主張

POINT

データをもとに主張をするスタイルはフォロワーの信頼を得やすい。

ネットで検索すれば必要なデータはすぐに出てくるので、億劫がらずに。

 eラーニング市場は2020-2021年で13%ほど伸びてる。2022年も上昇の予測が出てる。

つまりPCやタブレットでデジタルコンテンツを通して何かを学ぶ人がかなり増えてるということだ。
あなたも自分の知識をデジタルコンテンツにしてみては？

世界のニュース＋主張

POINT

日本と海外を比較するデータを使うと、「日本はまだ〜だから、ここまで行けるはず」という主張を組み立てやすく、フォロワーにとって豆知識にもなる。

このようなデータもネットで検索すればすぐにわかる。

 アメリカのフリーランスの割合は35%。2022年は50%にまでなるとの予測も。日本はまだ24%。

歴史を見ればアメリカをたどるので5年以内には倍くらいにはなりそう。ってことは副業で何か取り組んでる人はまだまだ先行者。ボーナスタイム。今のうちに確立しよう。**本気で目指さん？**

命令＋具体例

POINT

たまには「○○しろ」という命令形から始まるポストも、意外性があって有効。

「○○しろ」という言い方に抵抗がある人は「○○してください」「○○しないでください」という丁寧な言い方でも問題ない。

 ポストをつくるときはタイムラインを思い出せ。
山ほどポストが流れてくる中、読むポストと読まないポストがあるはずだ。
たとえフォローされていたとしても読み飛ばしたり、今のアルゴリズムでは表示されないことだってある。

大事なのは<u>１日１人でも読んでもらう人を増やす工夫。</u>

結論＋否定

POINT

最初に結論めいたことを言っておいて、直後に否定する「ノリツッコミ」のような展開は、興味をひくだけでなく読みやすい。

そして最後に解決策を提示することで、読む側に安心感と信頼感を与えることができる。

 Xでは激浅の自己啓発がウケる。ただし、集客と考えると浅さが仇となる。
つまり、深めのコンテンツを持つことが大事だ。

たとえばがっつりnoteを書いて固定ポストに置いておくとか。
激浅が伸びるからといって、**激浅に特化すると失敗するで。**

事実＋主張

POINT

自分が情報発信している界隈の事実のうち、世間的には意外と思われるものを紹介し、それに対する意見表明をして注目を集める。

紹介する事実がネガティブなもの、ポジティブなもののどちらであっても、表明する意見はポジティブなものがよい。

 Xでは「○万フォロワーで凄い！」と思われていても、SNSマーケが下手で全然稼げていない人は想像の何倍もいる。

謎のプライドが生まれて、今更方向転換もできず己の首を己で絞める。こういうSNSのちょっとした闇を明るくしていきたい。

アンケート結果＋主張

POINT

主張をするときは、事実を示すと信頼性が高くなる。
フォロワーにアンケートを行い、その結果をもとにした主張は納得感がある。

事実に基づいた主張を続けることで、他のポストへの信頼度も高くなる。

 約1000人にアンケートを取った結果、X運用の悩み1位は「**フォロワーが増えない**」。そしてX運用を始めた目的は「**集客・収入**」。

「稼ぐ＝フォロワーを増やす」という解釈。だから浅い枝葉の運用ノウハウに走る。相互フォローとかまさに。
結果が出ない原因は解釈にある。

否定＋解決策

POINT

「世間でこう思われているけど」→「実はそんなことはない」→「それよりもこうしたほうがいい」という主張の方法もおすすめ。

より深い知見があることが感じられ、信頼感を得られやすい。

 いきなり"自動化"に憧れてる人多いけど**絶対にやめよう**。
自分では裁き切れない大量の集客ができるならOKだけどそんな人ほぼおらんやろ。

それよりも単価の高い個別対応をして働いたほうが良い結果を生む。初心者は不労所得に踊りがちだが1番地獄を見る道筋。**手動でいこう。**

○○という人は＋主張

POINT

問題提起から解決策の提示という流れに加えて、解決策に若干笑いの要素を盛り込むと親しみやすさを演出できる。

「○○という人」は、自分のペルソナをイメージして考えてみてください。

 自己肯定感が低い人は何を言っても否定的に捉えるから、最終的に「めんどくさ」ってなって誰からも何も言われなくなる。人生をかけて治す努力をしたほうがいい。

とはいえ、筋トレして刃牙を読んで格闘技でもやれば解決する簡単な問題です。
心も身体も強く在れ。

○○な人へ＋結論＋具体例

POINT

「○○な人へ」という表現は、実際は多くの人に当てはまることであっても、なぜか自分に向けられたメッセージと感じてしまうもの。
「バーナム効果」という心理学効果を使った文章なので、ぜひ試してほしい。

 今めっちゃしんどいって人へ。最高やな。よかったやん。それを乗り越えたら、後に同じ状況にいる人を救うことができるようになる。

つまり、**その絶望感は心をおらずに向き合い続けることがコンテンツになる。良い経験じゃないか。**
絶対に乗り越えて、同じような人を救ってくれ。

○○のステップ＋箇条書き

POINT

伝えるべき情報がいくつもあるときは、箇条書きポストがおすすめ。

文章にするとわかりづらいことでも、短い文でテンポよく集約された情報は理解しやすい。

 人生を向上させるステップ
①生活環境を整えて精神安定させる
②新しいことに挑戦する
③しっくりきたモノを継続する

こんなに自由に選択ができる権利が与えられている国は珍しい。日本人の時点でエリート路線に立ってるよ。ただ、立ってるだけじゃ意味がない。共に行動を起こして継続しよう。

○○の大事なポイント＋箇条書き

POINT

重要なことを伝える場合、文章にするのではなく、あえて箇条書きに並べていくのも効果的。

そして提示するポイントの中に、ユーザーが「？」と思うようなものも混ぜておくと、フォローされるきっかけにもなる。

 X 集客の大事なポイント

・無理に誇張しない
・尖りすぎない
・未来を見せる
・悩みに寄り添う
・機能だけでなく情緒も大事

これらを押さえると、今日から数字が変わる。

○○したい人はコレ＋箇条書き

POINT

箇条書きポストは、見やすい分、最初の一文が目に留まるかが勝負になるため、ユーザーニーズに直結するワードを使うのがおすすめ。

その点、「〜するにはまずコレを押さえて！」というあおりは使い勝手がよい。

 Xで集客したい人はコレ！

① プロダクトの用意
② 見込み顧客の具現化
③ 問題提起の発信

適当に伸ばしているだけじゃ無理ゲーです。

○○テクニック＋箇条書き

POINT

箇条書きポストでは「○○のテクニック」という書き出しによって、簡潔にメリットを伝えることができる。

内容的には「そんなテクニック知らなかった！」というものが多いほど、フォローされやすい。

 ポストで超効果的な心理テクニック

① ウィンザー効果
② 返報性
③ バンドワゴン効果
④ ハロー効果
⑤ ザイオンス効果

○○のポイント＋箇条書き＋まとめ

POINT

「○○のポイント」という書き出しも、手っ取り早く情報を知りたいユーザーの関心を引くのに有効。

箇条書きで終わらせるのではなく、まとめの一文を置いておくと、内容がよりわかりやすくなる。

 Xで伸びる人のポイント

① プロフィールの1文目にメリット
② プロフ通り発信内容に一貫性を持たせる
③ たくさんの人と交流するなどでブースト
④ 問題提起を混ぜた発信
⑤ プロダクトへの動線がキレイ

この5点を押さえている人は伸びてる。皆できてる？

最新版〇〇＋箇条書き＋まとめ

POINT

「最新版〇〇」という1行目は、新しもの好きが多いXユーザーには刺さる。

また、箇条書きで手短かにまとめられたスタイルだと、見た目に速報性も感じられる。

 最新版X運用
・プロダクトを強くする
・ペルソナを理解する
・価値提供をする
・コミュニケーションをとる
・行動のキッカケを与える

理解できてる人は2023年、ぶちあがります。

会話（過去）＋プロフィール or リプライに続く

POINT

会話ポストは臨場感を大切にテンポよく並べていくのがポイント。
あえてポスト内で起承転結をつけず、続きをリプライないしプロフィールにつなげるという手法もあり。

連投するとフォロワーに嫌がられるので、頻発しないように。

 僕「起業したいので辞めます」
上司「まだ早いからやめとけ」
上長「もっとここで学ぶことがあるぞ」
同僚「何か変なのに騙されてない？」

その1年後…

会話（過去）＋現在

POINT

すべて会話形式にするのではなく、まとめの文章を置くこともある。

会話でまとめるのと違い、現在の感想などを入れ込むこともできるので、この方法も試してほしい。

 僕「送別会の開催ありがとうございます」
先輩「いいよいいよ！」
僕「これからも頑張っていきます」
先輩「これから貧乏になるから今日は奢るよw」
僕「…ありがとうございます」

皮肉なのか本心なのかわからないけど、生活には一切困らなくなった。ちょっとイラッとしたから頑張れた。感謝。

権威性の向上

主張＋過去の自身の経験

POINT

本当に伝えたいことは、自分の過去の行動・体験をもとに語ると、非常に説得力が増す。

よかったことも悪かったことも深掘りしていくことで、ポストのネタになる。

 早いほうがいい。思い出の配当という言葉がある。ゆっくり貯蓄していくよりも、一気に稼ぎを上げて今得られる経験値を増やす。

24歳から会社やってるけど、仕事もプライベートも選択肢が増えて幸せ。まだまだ引き続き鬼努力を継続だけど。ただ、早いほうがいい。落ち着いたらとかじゃなく今本気だそう。

自分の経験＋主張＋フォロー促し

POINT

フォロワーを増やそうと思ったときは、ちょっと強めに「自分の経験を披露→主張→フォローを促す」という流れも効果的。

時には「強さ」というエモーショナルな部分で信頼感を得ることも試してみよう。

 ネットを使って稼ぐって、ただ作業しまくるだけで100万円くらいは余裕でいくよ。なんならもっといく。

僕も2年前は0円。結果に悩む人はやり方が間違っているか作業量が少ないかのどちらか。安心しろ、やり方は毎日教えてやる。<u>フォローしてついてこい。</u>

命令＋理由

POINT

命令形のポストにする場合は、そのあとに根拠となる具体的な理由も示すこと。

「○○せよ。それは、△△だからだ」という流れにすることで説得力が増す。

 ポストするときはタイムラインを**想像せよ。**

大量のポストが流れる中、**1文目の前半で目に留まる**かどうかが決まり、**1文目の後半で続きを読まれるかどうかが決まる**からだ。

これを意識するだけでもポストの作成方法が変わる。なお、これを実践した人は100%数字が上がっている。

苦労と成功の話＋鼓舞

過去から現在までを淡々と描いたポストつくっておくと、ユーザーから関心を持ってもらえるので便利。

成功体験が思いつかない人は「現在成功に向かって頑張っています！」という成長過程でも、共感を得られる。

 7年前、会社員を辞めて独立するぞと決めたときは何のスキルもなかった。それが今では億の事業を生み出せる知恵と仲間と経験がある。

最初はみんな同じ。大きい目標を掲げるなんて果てしない感じがするかもしれないけど、毎日淡々とやっとけば確実に近づいてくる。
悩まなくてOK。その調子で行こう。

○ヶ月で○○した＋箇条書き

書き出しは、「○ヶ月で△万売り上げた」「○ヶ月でTOEIC®を△点上げた」など、具体的な数字が入っていると引きになる。

さらに成功のポイントも箇条書きで見せるとわかりやすい。

 X運用をスタートしたときは、コレで**4ヶ月で1万人増やした。**

①同じカテゴリの人をフォロー
②毎日更新のアクティブ勢とつながる
③影響力がある人に拡散してもらうポスト
④リプライで露出する
⑤1000人毎にプレゼント企画
すべて実行すれば最短でフォロワー1万人いく。

会話（過去）＋会話（現在）

140文字以内でユーザーに理解してもらうためには、会話の流れは過去から時系列で追っていくのが基本。

現在の成功した状況から語り始めると時系列が乱れたポストになり、意味がわからなくなるので注意。

 先輩「Xって意味あるの？」
僕「利益率上げたいのでやってます」
先輩「そうかw ま、頑張れw」

1年後
僕「よし、コロナ禍だけど増益」
先輩「コロナ禍で7000万円の損失…」
僕「Xでノウハウを発信してるので見てくださいw」

特典予告＋特典一覧箇条書き

POINT

エンゲージメントの向上にも有効なので、ユーザーに向けて何かしらの特典をつくれる人は、ぜひやってほしい。

ちなみに、このように特典の内容を一覧にしておくと、数がたくさんあって豪華に見える。特典は完成していなくても「作成中」としておけば OK。

来月、これ配ります。

・X 運用の 0 → 1 達成テンプレ（3 万字）
・伸びるポストを完全解説（100 枚）
・図解ポストのテンプレ
・総額 30 万円相当
※フォロワーのみ。

特典予告＋価格発表

POINT

特典配布を予告する際、あえて無料ではなく、相当なディスカウント価格で販売してもよい。

そのときに「本来なら〇万円の価値がある商品」ということもあわせて伝えることで、ユーザーの期待感は高まる。

どう考えてもバグってる価格で Brain を明日発売するんだが、去年もやったお年玉企画なんです。ちなみに去年は 2500 部売れた。

ボリュームは去年の 30 倍。10 万円にしたいところを 500 円です。
制作コストからいくと 3000 本売れても赤字 w

メモってね＋主張

POINT

基本的に流れていくだけのタイムラインに、あえてメモやブックマークをすすめる投稿をすることで、そのポストの注目度が高くなる。

お役立ち情報をポストする際に冒頭につけておくと効果的。

はーい、メモってね。ポストする時間は朝 6-7 時、11 時 55 分 -13 時、17-18 時、19-20 時。

1 時間毎にポストして検証したけど、インプレッションが伸びる確率が高い。
僕が 30 万回ポストしてるから信憑性は高め。

実績＋決意表明

POINT

「◯人フォロワー達成！」などの実績報告のポストは、お祝いの意味も込めて「いいね」を多くつけてもらいやすい。

また、ここに至るまでのプロセスや決意表明もあわせて書くと、さらに気持ちが伝わる。最後にリプライや「いいね」を促すのもおすすめ。

 X のフォロワーが 80000 人を超えました！

2 年半前に本格的に発信を始めてたくさんの人と出会い、たくさんの知識をいただき、ザッと 3 億くらい稼げました。

まだまだひよっこですが愚直に自分のスタイルを守りつつ継続して精進します！ やったー !!

実績＋プロフィールに誘導

POINT

異常値とも思える実績はもはや好奇心の対象。ポスト数はプロフィールに表示されているので、誘導につながる。

ここまで極端な数字でなくてもいいが、実績は積極的に開示したほうが関心を持ってもらえる。

 1 日 900 回ポストするなんて嘘だと言われることがあるんですが、マジなんですよね。

信じがたい行動量をやってみると、そこからしか見えない景色がある。**まもなく 40 万ポストいく！**笑

キリ番達成＋感謝

POINT

キリ番好きな日本人の性格は X でも同じ。フォロワー数などのキリ番達成ポストは注目されやすく、リプライや「いいね」ももらいやすいので、積極的に知らせていこう。

なお、達成したことについて、ユーザーへの謝辞を忘れないことも大切。

 うわぁあああああ !!88000 人いったぁああああああ！皆様いつもありがとうございます !!

88000 人というキリが良いときに企画中とは !!
やったぁぁあああああああ !!!!!!

主張＋画像

POINT

数字の変化はグラフで見せると、ひと目でわかり、インパクトや納得感がある。

実績が伝わりやすくなるテクニックなので、ぜひ活用してほしい。

ちなみにフォロワー数の増加状況は SocialDog というサイトで見ることができるので、ぜひ活用しよう。

 フォロワー数を必死に増やすというより、需要を満たす努力を日々続けていればフォロワーは安定的に増えていく。

クライアントの実績報告＋主張

POINT

よい実績を公開することで、フォロワーからの信頼度がぐんと高まる。

ビジネスをしていない場合なら「プロフィールを改善したらフォロー率が○％改善した」など自分の実績でも構わない。よい数字はどんどん伝えていこう。

 ポストを添削をしたところ、**アクセス数が 500％ も**
アップした。フォロー率も 10 倍に。

このテンプレ、もう 2 年くらい変わっていない。何度も言っているけど、**ポストもプロフィールも 1 行目の半分くらいしか読まれないと思って構成すると数字が一撃でよくなる。**

クライアントの実績報告＋画像

POINT

実績を公開する場合は、テキストだけでなく、実績を証明できる画像も合わせて公開するとよい。

「言っているだけ」にならず、信ぴょう性が高まる。

 初ローンチなのに、成果が伸びているというご報告。
すごい !!

クライアントの実績報告＋引用ポスト

POINT

自分の実績について、クライアントなどがポジティブなポストをしてくれている場合は、迷わずリポストする。

クライアントからの生の声がもっとも信頼性が高く、影響力もある。

 借金300万のノウハウコレクターも、ここまで引き上げました。

教育力がレベチです。天才過ぎてすみません。

> これまでで一番有益な情報でした！ SNS運用を学んだおかげで、広告費なしで月間売上が初めて2000万円超え。感謝。

特典受け取り人数＋特典内容

POINT

Xでは何事につけ「人数の多さ」が話題になるので、特典を受け取った人数が多い場合には、そのことをポストして盛況感を出す。

受け取った人数が少ない場合は、感想画像でもOK。最後に「まだ間に合う」という点も伝え、受け取りを促そう。

 ビビりました。昨日プレゼント企画を始めたばかりの「未経験から2年で3億円生み出したWeb販売講座」は約2000人が受け取った。
1000人くらいかなーと思っていたら倍いってびっくり。

少ないフォロワーでも集客して稼ぐ方法を動画19本で公開。まだギリ受け取り間に合います。

特典受け取り人数＋特典感想（画像）

POINT

特典の感想をDMなどでもらったら、盛り上がっている雰囲気を伝えるためにも、本人に許可を得たうえで「こんなに感想が届いている！」ということをポストする。

その証拠として感想が書かれている画像をアップすると信頼感が高まる。

 すげぇぇぇぇぇ！もう300名以上の方が受け取りました！

すでに物凄い数の感想が！一部抜粋して掲載します！

> ここまで具体的な方法を語ってくださっていたのでとても勉強になりました。
> そのまま実践をするだけで僕でも成功できそうです！

共感を得る

挨拶＋共感

POINT

朝は誰しもが元気いっぱいなわけではない。学校や仕事に行くのがつらい人もいる。

そんな人たちに向けて、挨拶と合わせて「共感」を入れるとリプライが期待できる。

おはよう！
Xって最初が1番しんどい。少しずつ見てくれる人が増えていくけど、最初はそれがまったくなく孤独。

1000人、3000人、5000人と増えていけば、どんどん面白くなる。それまで続けよう。

自身の経験＋主張

POINT

実績の大小にかかわらず、自分が経験を通して成長した姿をポストに。

「自分もこんなふうに成長できるんだ」と共感してもらえるように、自慢話で終わらせず、勇気づけるような形で締める。

2年前にSNSをガチり始めたとき、1日900回ポストした。それも3ヶ月連続。売上はもちろん伸びた。

でもそれ以上にSNSを攻略し、それをもとに人に価値を与えられたことが何よりもでかい。
人よりもやると成果がでる簡単な世界。やる？

主張＋具体例

POINT

主張のあとに、根拠として周囲から得た知見を述べるのもいい。

目に浮かぶように、具体的にわかるように説明してあげよう。

すべては基準値の差だ。成果が出ないと嘆く人のほとんどが、成果を出している人からすると「全然やってへんやん」というレベル。

たしかに格上の基準は吐きそうになるときもある。でも食らいついたほうが実は後々楽ちん。

危機感をあおる事実＋解決策

POINT

事実で危機感をあおりながらも「でも○○している自分たちは大丈夫」「こういう対策をしていれば大丈夫」という流れをつくる。

主張をすると同時に、フォロワーの不安も払拭する。

「日本やばい、経済やばい、老後やばい、物価やばい、年金やばい、増税やばい」とか言いつつも、危機感を持って今動ける人はごく一部。

だから僕のポストを毎日見たりSNS集客を継続できる人は少数派で凄いよ。

お金のニュース＋解決策

POINT

経済関連のネガティブなニュースは、生活に直結する話なので関心を集めやすい。

そのうえで自分なりの解決策を示すことで、アカウントの価値が再認識される。

激ヤバ。平均所得が横ばいで物価が上昇しているってことは、貧しさが増しているということ。

これは数年前から謳っているが、行動に移せる人はしっかりと余裕を持っている。たった数年間の話だ。素直な人は強い。僕も気づいたら歳とって取り返しつかない状況にならないように走り続ける。

お金のニュース＋過去の体験

POINT

ニュースについて感想を述べるときは、自分の体験も交えて、その場がありありと浮かぶように話すと興味を持って読まれ、また、真剣度もちがってくる。

テレビが常についてる家は低所得、というデータがあるらしい。

僕はテレビを捨ててかれこれ7年。超快適。
年に1、2度出張の宿泊先で見ることはあるけど、油断したら1、2時間平気で経過してるから相当時間奪われるものやなと。

有名人の名言＋主張

POINT

著名人や偉人の名言は、納得感があり、ユーザーに刺さりやすい。

そしてその名言に合わせた主張をすることで、ユーザーからの共感を生む。

 昼食は 40 秒。会社員のときに決めていたルール。**松本人志さんが「飯を食うのが遅い奴は絶対に売れない」**とおっしゃっていたのを覚えていたからだ。

食事はよく噛んでゆっくり食べるのが健康的なのは重々承知だが、**食事のスピードと仕事の能力の比例は一理ある**と思ってる。僕も爆速。

○○って人がいるけど＋主張

POINT

人は自分が当然だと思っていることを否定されると、イラッとしながらも「それはどういうこと？」と関心を持つ。

そうなったらこちらのもの。続きで自分の主張をする。最初から「私はこう思う！」と主張をするよりも効果的。

 職場が合わず転職を繰り返し、自分は独立するほうが向いているんじゃないか？**って人がいるけど**、ほぼ勘違い。

自分の能力や忍耐力が著しく低いことがほとんどだ。

大事なことを言います＋主張

POINT

「大事なことを言います」と言われると、「この人は、何か自分の知らない重要なことを知っていて、それを教えてくれるのではないか」という気になる。

あまり使いすぎると効果がなくなるが、たまにこのフレーズを使うことでイメージアップにもなる。

 大事なことを言います。自分の行動は答えだ。

悩んで辛くてお腹痛くて、どーしよどーしよって思っているときは確実に未来を良くしようと思う気持ちが強いんだから、そのパワーに自信を持って自分を認めてあげろよ。
自分の感性が１番やからな。**自分自身を愛せよ。**

これはマジなんですが＋主張

POINT

「これはマジ（新事実・真実）なんですが」も、ユーザーの好奇心を掻き立てる。

本当に新しい事実を述べるときはもちろんだが、このポストのようにクスッと笑えるネタのときに使ってみるのも、冒頭と内容の落差があって効果的。

 これはマジなんですが、「落ち着いたらやります！」って言う人が落ち着いてるの見たことない。

一生落ち着いてない。どんな人生やねん。

Ａという意見もあるが＋Ｂだ

POINT

世間でＡ論とＢ論が対立しているとき、両論を併記しつつ自分の主張を提示するのも、知見の深さを示すことになる。

主張をしながらも「こういう論があることは知っています」ということを示したいときにはいい方法。

 「人生で大切なのはお金じゃない」って意見もあるが、それには懐疑的。

収入はもっとも簡単に人生を変えることのできるツール。**資本主義である以上はここは切り離せない。**もちろんお金だけじゃないが、圧倒的に重要な要素。

だからパパッと最低100万くらいは稼ぎましょ。

苦労話＋現状

POINT

ストーリー性のある投稿は共感を得られやすい。基本的には、自分が苦労していたころから今に至るまでを書いていくのがセオリー。

ユーザーが追体験をしている感覚を得られる。たまに、笑える要素を入れてみるのも効果的。

 X集客を始めた当初は、ポストしても反応はほぼゼロ。いいねが付いて確認したら全員知り合い。リプライはもちろんゼロ。

基本不器用な僕ですが、38万回もポストしてたら何とか形になるものです。38万回って嘘っぽいな。

苦労話＋鼓舞

POINT

ストーリー性のある投稿を読ませるコツは、単なる自分語りで終わらせないこと。

随所にユーザーへの共感と鼓舞を織り交ぜていくことで、ユーザーの信頼感は強いものになっていく。

 僕も**最初は0いいね**だった。でも今日は2いいねがついた！あ！今日は5いいねいった！とかの積み重ねで今だ。

とりわけ何かがバズったとかはなくコツコツ増えてきた。たった2年ちょいの出来事だ。
辛くなることもあるだろうけど、大丈夫なんだよな。
右肩上がっていればそれでOK。**続けろよ。**

苦労と成功＋現状

POINT

自分の失敗した経験を正直に明かすことは、ユーザーの共感につながる。

失敗がひどければひどいほど「そんな人でも成功できるんだ！」とユーザーが自信を持てる。差し支えのない範囲で、自分の過去は正直に話したほうがよい。

 マジで昔は何もできんかった。マルチに一瞬ハマるし、そこから150回商談やっても1件も売れなかったし。多分誰よりも壊滅的な結果だった。

だいたい皆が諦める局面で諦めずにやり続けた結果、そこそこ稼いだ。そして2020年X開始。ノウハウは無料公開中。**で、今僕のフォロワー何人？**

共感エピソード＋結果

POINT

ストーリー性のある投稿を継続的にきちんと読んでもらうには、過去のさまざまな場面を切り取って構成するのがおすすめ。

話の場面を変えてみると、発信者の多面的な顔を見ることができるので、フォロワーに楽しんでもらえる。

 会社員時代、昼食を皆で食べに行くという文化があったんだが、2年目から行くことをやめた。誘われても秒で断る。時間がもったいなかったからだ。

おかげで作業する時間が増えて会社員以外の収入が上がった。そして**数ヶ月後に辞めた。**
早めに空気読むのやめてよかった。疲れるよな。

ネガティブな自己開示＋現在

POINT

自分の弱い部分を明かす。ネガティブな自己開示も共感を得られる。

ただの懺悔になるのではなく、最後にユーザーを鼓舞する形で終わらせるのがポイント。

 物忘れ激しいし、細かいことは苦手でやらないし、結構見切り発車するし、社会不適合者で新卒2年目で離脱したし、バイトを飛んだこともある。

けど今は楽しく超稼げているから、人間全員いい感じに生きれるポテンシャルあるよなと思った30歳。楽にいこう！

○○あるある＋具体例

POINT

どの業界でも「あるあるネタ」は同業者の共感を得られやすい。

「あるあるネタ」の投稿は自分のことを知ってもらうきっかけにもなり、また、「いいね」ももらいやすい。

 営業あるある。

売れてる人と会話してるだけでもちょっと売れるようになる。

○○な人の特徴＋箇条書き

POINT

「○○な人の特徴」を箇条書きにすることで、多くの情報を伝えられる。
「あるある」的な要素で共感を得られるだけでなく、課題感を再認識してもらうことにも有効。
ちなみに「××ができない人の特徴」など、ネガティブな切り口の場合も有効。

 継続力がある人の特徴
①口数少なく作業量が多い
②環境が良い
③ルーティンがある

あからさまにやる気満々な人はすぐに意気消沈する。
反対に淡々とこなす人ほど継続力が高い。
力んでも長続きしない。リラックス〜！

行動を促す

挨拶＋固定ポストに誘導

POINT

反応しやすい朝の挨拶ポストにつられ、固定ポストに訪問される可能性が高まる。

LINEやブログなどのページがある場合は、そちらへの誘導も忘れずに。

 おはよう！
マジ再現度高くてビビるんだが、教えてる運用方法を実践して、売上が伸びなかった人が皆無。

トレンドに左右されない運用は安定感がある。これでできると超楽しいよ。**固定ポストにおいておくな。**

あおり文句＋リプライ誘導

POINT

フォロワーの多い人向けのテクニックになるが、自分へのリプライをしてもらうことで、フォロワー同士のコミュニケーションを促進し、さらに自分のポストを拡散させることもできる。

冒頭の「秘密の極意教えます」で興味喚起するのがキモ。

 秘密の極意教えます。

このポストのリプ欄で「フォローして!!」って言ったらフォロワーが増えます。

主張＋リプライ誘導

POINT

Xで成功するためには、まずは多くの人へのリプライ、リポストで、自分の存在を知ってもらうことが大切だが、なかなかそれができない人が多い。
そこで交流することの大切さを主張して、さらに「↓」で自分へのリプライを誘導する。そのポストのエンゲージメントが伸びて、自分にもメリットがある。

 色んな人と交流することが大事。これは今のXで大事なこと。

でもプライドが邪魔してできない人もいる。僕もある程度のフォロワー数がいるけど自分は器用じゃないから泥臭いことが通用するときは普通に泥臭くやる。**皆も続けよー！**

↓

○○な人へ＋リプライ誘導

POINT

まずはバーナム効果で、フォロワーに「自分ごと」として捉えてもらえるような問題提起。

そのうえで、鼓舞させるための主張を展開して、最終的に解決策として自分へのリプライにつなげる。このテクニックは、フォロワーの多い人には、絶対に使ってほしい。

 X運用ガチ勢へ。
土日って伸びないやろ？それで活動量減らしてるんやろ？これが1番危険だ。

土日こそ発信量を増やすんだ。人がやってないときこそやるってのは成長の基本中の基本。いいねやリプライで絡みまくれば勝手に伸びるボーナスタイム。僕のポストならインプばり稼げんで。**どうぞ！**

有益な情報＋リプライ誘導

POINT

有益な情報を発信すると、そのジャンルに興味を持つ人からの反応が期待できる。

文末にリプライを誘導することで、フォロワーがリプライを送りやすい環境をつくり出す。

 Xのアルゴリズムを晒します。
同じ属性で伸びてる人に、いいねやリプライをしてて。

親密度の評価になり、同じジャンルをフォローしている人のタイムラインに自分の投稿が載っていく。みるみる閲覧数が増えていく。1ヶ月続ければかなり変わる。
試して↓

あおり文句＋具体例

POINT

恐怖感や危機感をあおる文章は、多くの人の目にとまる。

そこで、ひたすらに恐怖感をあおったうえで解決策を提示すると、行動を促すことも期待できる。ネガティブなポストも使いようでは効果的という例。

 このままじゃヤバイです。
物価は上がり、給与は減り、税金が上がる日本で、何も行動を変えずにのほほんと毎日を消化してる人って地震がきても逃げないのと同じくらいヤバい。

僕も危機感を持って、**SNS運用を勉強してます。**

Chapter 8　今すぐマネできる投稿の型81選

これ意外なんだが＋主張

POINT

「これ意外なんだが」と冒頭に言われると「え？　何が？」という心理になる。

あまり知られていない事実を伝えるような場合に効果的。

 これ意外なんだが「筋トレ」「食事改善」「ネガティブな人と付き合わない」だけでメンタルは大幅に向上する。

結局皆メンタルバランスが崩れることに疲弊するだろ。その割に対処してないの不思議。
この3つをやれば、3ヶ月で成果が出るぞ。

意識調査のデータ＋主張

POINT

時事ネタを取り上げるときには、事実だけでなく自分の感想もあわせて伝える。

単なる感想ではなく、フォロワーに行動を促すようなものにできればさらによい。

 10人に1人が年収200万未満のワープアってビビるよな。自分の周りには月に余裕でそれ以上儲けている人ばかりなのに。

情報の格差を感じる。知ってるか知ってないかだよな本当。あとは、やるか、超やるか。**どれだけ早く動き出せるかが大事。**

この先もワープアは増えていく。どうする？

9割は○○＋具体例

POINT

「○○ではダメだ」「なぜ参加しないのか（するべきだ）」など断定的な主張のあとは、その主張を裏付ける具体例もセットに。

結果的に行動を促すポストにもなる。

 9割は行動しない。だから行動した人は得する。

必要そうだな、このままじゃ嫌だな、自分もやったほうがいいのかなと思って終わり。結果、何の変化も起こさないまま時間だけが過ぎる。

X運用をしているならポストしてみる、無料教材を受け取ってみる。たった1分で行動に移せる。

○○でいいの？＋解決策

POINT

「〜しないのはなぜですか？」「もう〜しませんか？」のように、相手に問いかけるフレーズも行動を促すのに効果的。

行動を起こせないユーザーは、それが問題だということはわかっているので、アクションを起こせるように背中をひと押ししてあげよう。

失敗を恐れてたらそのままよ。
一生なんもせんでいいのか？後回しにするのか？それよりも今やるのが１番ええよな？

わかってるのに動かない理由をつくるのをもうやめにしませんか？

キリ番、ゾロ目間近＋応援を促す

POINT

Xは節目の数が注目されやすく、特にフォロワー数の多い人の場合、その数が近づいてきたらフォロワーを巻き込んで盛り上がろう。

そのときは「あと○人で△人達成！」とポストして、応援リプライや「いいね」を促そう。

ヤバイ！**間もなくフォロワー88888人いくやん！**

誰かスクショしてほしい！応援してほしい！

特典予告＋お願い

POINT

特典に関しては、予告をするだけでなく、同時にインプレッションを高めたい。そのために使えるのが、このように一定期間自分の動向をチェックするように促すこと。

「通知はオンにしてお待ちください」というワンフレーズも入れておくと、なおよい。

予告です。
元旦に価格破壊を起こします。信じられないようなものを世に放つ。お年玉だ。

今日も誰かの人生を変える。めちゃくちゃ楽しみだ。この一週間、僕をチェックしていないと必ず損をします。マジで。
詳細はまた言います。**スケジュールに入れてください。**

特典配布告知＋フォロー誘導

POINT

特典配布まで時間が空く場合、気長に待ってもらう必要があるのでフォローを促すのがおすすめ。

フォローとあわせて「通知オン」をすすめるのも忘れずに。

 実は今、Xを0から始めて収益を生み出すまでのマニュアルをつくってる。かなりの大作になりそう。ちなみに、**無料で公開する予定。** やばくない？

Xのアルゴリズムが変わって活発な人が多いから、さらに盛り上げるんだ！めっちゃおもろくない？１ヶ月くらいはかかると思うけど**フォローして待て！**

ご報告＋特典内容＋アクション促し①

POINT

特典告知の際には、限定条件をつけて拡散を狙うのも手。

たとえばこのポストのように「リプライ＆リポスト＆いいね」を条件にして拡散してもらうことで、より多くの人にこのポストと無料商材のことが認知される。「限定」が逆にパワーを発揮することもある。

 ご報告。11/7に「未経験からXで売上３億円」を達成するために必要な知見を動画19本で配る。フォロワー数を追わない運用を身につけて、ぶちあげましょ！

欲しい人はリプライ＆リポスト＆いいねで！完全限定。
逃したら一生受け取れません。

ご報告＋特典内容＋アクション促し②

POINT

ご報告ポストは、冒頭を含めて全体的に見せ方を変えることで、今まで気づかずにいた人にも見てもらえる可能性がある。

同じ内容を繰り返し伝える際には、見せ方を工夫しよう。

 【ご報告】11/7朝7時
"未経験から億を生み出すX講座"配布します！

動画19本。講義を進めた人だけ観れる動画もある。
2022年残り2ヶ月。来年こそ！と意気込んでいる方に向けてリニューアル。より学びやすくなった！

リプライ＆リポスト＆いいね＆フォローで申し込み受け付けます。

無料プレゼント＋特典内容＋受け取り方法

POINT

受け取り方を具体的に説明することで読み込ませる。

ちなみに特典の詳細を画像で見せるのもよい。視認性が上がり、受け取り率がアップする。
またXのアルゴリズムの観点から見ても、画像付きポストはインプレッションの増加が期待できる。

 ■無料プレゼント■
＼未経験から2年で3億円生み出したWeb販売講座／
動画19本（合計120分）、Xマーケ戦略、売上3億の秘密

受け取り方法
①@monguchitakuya をフォロー
②リポスト＆いいね
③申込＆受取はリプ欄から!!

あと〇時間！＋特典内容

POINT

特典配布の時間が決まっている場合、必ず、その1～2時間前に告知をしよう。特典の内容、あおりなどでユーザーの期待感を高めることができる。

さらにディスカウント価格での販売であれば衝動買いもある。しつこいと思われてもいい。直前の告知は必須。

 【あと2時間！】
ハッキリ言うぞ！本気で結果出したい人以外は見ないでくれ！この1年間リアルにやってきた数字（約2億円）、あなたに継承する。

よくある「フォロワーの増やし方！」などの薄っぺらい情報ではなく、**正解をすべて書いた！実践のためのシートまで用意した。3日間だけ500円。**

〇人突破記念プレゼント＋リアクション誘導

POINT

「フォロワー1000人達成記念！」など、キリ番での特典配布企画は、キリ番＋特典ということで盛り上がり、また喜ばれるので、ぜひ実施してほしい。

そのとき、リプライやリポストを促すような予告ポストをしておくと、リアルな反応を見ることもできる。

 8万人突破記念プレゼントのお知らせ

11/7　朝7時から配ります
①3日間で教材6000本販売した手法
→PDF50枚以上で解説
②2022年5月の1万いいね超ポストデータ
→これを見れば伸びるポストの共通点がわかる
③直接僕と会ってXを教える会
欲しい人はリプライとリポストで教えて

フォロワーの関心を読み取り、日々改善を

投稿するうえで大切なのは、再現性の高い「成功パターン」を見出すことです。

フォロワーが求めている情報や書き方は、フォロワーの属性やアカウントのジャンルによっても異なります。

「この型で投稿したときは、反応が良かったな」など、81個の型に分けることで、何となく投稿するよりも「成功パターン」がわかりやすくなるかと思います。

最初は誰でも反応がとぼしいもの。
まずは恥ずかしがらずに投稿し、成功や失敗を経験して、自分の「成功パターン」を見つけていきましょう！

Chapter

9

ChatGPTの
プロンプト集

～投稿を超効率化～

時代に乗り遅れるな

今AIを攻略しないと、やばい

　大きな話題を集め、黒船襲来のような騒がれ方をしていた「ChatGPT」。

　今では、さまざまなサービスにごく自然に取り入れられているので、多くの人が気づかないうちに利用しているのではないかと思います。

　現在私はポスト生成の効率化に ChatGPT を活用していますが、そこで感じたのは「ChatGPT は、X でのビジネスを大きく変えてしまうかもしれない」ということです。

　そこで、本書の読者の皆さんにも、その波に乗り遅れないよう「今さら聞けない ChatGPT」について、簡単に説明したいと思います。

　すでに ChatGPT をバリバリ使っている方は、読み飛ばしていただいても大丈夫ですが、まだの方はぜひ一読して、ChatGPT で何ができるのかを知っていただくと良いかと思います。

生成系AIとは

　そもそも ChatGPT とは、アメリカの OpenAI 社が開発した、「生成系AI」と呼ばれる AI テクノロジーを使ったサービスです。誰でも無料で使える ChatGPT-3.5 と有料版の ChatGPT-4 があり、AI の精度に差がありますが、基本的な機能は同じです。

ChatGPT の機能として、いろいろな質問をすると、まるで対話をしているかのような的確な回答をしてくれることが一般的によく知られていることもあり「対話型 AI」とも呼ばれます。

たとえば「今日は暑いね」などと話しかけると、「そうですね。〇〇では、最高気温が 40 度近くになるそうです。熱中症にならないよう気をつけてくださいね」など、まるで人間と会話をしているかのようなスムーズな返事をしてくれます。

といっても、このように質問に対していろいろな情報をかき集め、対話形式で回答するのが ChatGPT の機能ということではありません。
ChatGPT の元となっている生成系 AI とは「人間の質問や依頼に対して、オリジナルコンテンツをつくってくれるテクノロジー」と考えるとわかりやすいでしょう。

生成系 AI を活用したサービスには ChatGPT 以外にもいろいろあります。
ChatGPT は基本的にオリジナルテキストを生成するものですが、画像や動画をつくり出すものもあり、たとえば「海の絵を描いて」「太陽が爆発する動画をつくって」などのように問いかけると、コンテンツをつくってくれます。

そのような生成系 AI を活用した代表的なサービスをいくつか紹介しましょう。

● **画像生成系**
描いてほしい絵のイメージを入力すると、それに合った絵を描いてく

れます。「Stable Diffusion」「Midjourney」などがメジャーです。

● テキスト生成系

ChatGPTのように、文章を入力すると、それに応える自然な文章を作成してくれます。長文を入力すると要約をつくってくれたり、適切な場所に見出しをつけてくれたりします。

代表的なものに、今回紹介しているChatGPTの他に「BingAI」などがあります。

● 動画生成系

前の2つと同様、見たい動画に関する文章を入力すると、オリジナルの動画をつくってくれます。このジャンルでは「Gen-2」などが有名です。

この他にも、自分の音声を入力すると、そっくりな声で文章を読み上げる「音声生成系」、会議での発言音声を入力すると文字に起こしてくれる「文字起こし系」などもあります。

ChatGPTでできること

ChatGPTは、「テキスト生成系」のカテゴリーに分類されますが、実際にはExcelの関数をつくったり、使い方によっては画像も生み出すなど「テキスト生成」以上のことができます。

ここでは、おもにテキストを主体とした利用法を紹介します。

● 検索

「○○について教えて」と入力すると、回答が返ってきます。そこでさ

らに「それはどこにあるの？」「なぜそうなの？」など深掘りして、さらに詳しい情報を調べることができます。そこが一般的な検索エンジンとの違いです。

● 文章の整理

　長文を入力して「100文字以内に要約して」「5つくらいの項目に分けて見出しをつけて」と指示すると、それに応じたテキストが出力されます。生成されたテキストは、そのままでは利用できないものもありますが、自分で原稿をまとめる際に参考にするには十分です。

● 新たな文章の生成

「○○をテーマにした短編小説をつくって」「△についての解説文を書いて」などの指示をすると、またたく間につくり上げます。

● 翻訳

　ウェブ上での翻訳というと「Google 翻訳」が有名ですが、同様のことが ChatGPT でもできます。

　このように、テキストに関わる作業であれば、十分に人間の代わりになり、また人間が何かを制作する際の材料となるものを提供してくれるのが ChatGPT です。

　実は、生成系 AI を活用したサービスは、ChatGPT が初めてのものではありません。

　それにもかかわらず ChatGPT が大きな話題になっているのは、さまざまなシステムに組み込みやすく、また一般人でも簡単に利用できることが大きな理由だと思います。

ChatGPTの
始め方

では、いよいよ ChatGPT を活用する方法を紹介していきます。
ChatGPT を利用するには、まずアカウント登録が必要になります。

アカウントの登録は次の手順で進めます。

1 ChatGPTの公式サイト『Introducing ChatGPT』
（https://openai.com/blog/chatgpt）にアクセスし、「Try ChatGPT」
をクリックする

1「Try ChatGPT」
をクリック

2「Sign up」をクリック

2 「Sign up」をクリック

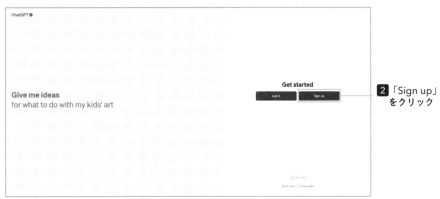

2 「Sign up」
をクリック

3 登録する方法を選択。メールアドレス、Googleアカウント、マイ
　クロソフトアカウント、AppleIDのいずれかを選び、Continueを
　クリック

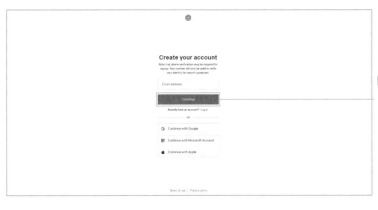

3 登録する方法を
選択したあと
Continue を
クリック

4 パスワードを設定

5 メールアドレスで登録した場合、確認メールが届くので、そこにあ
　る"Verify email address"をクリック（Googleアカウント、マイクロソ

フトアカウント、AppleIDで登録した場合は、このプロセスはありません）

6 ブラウザをリロードして、プロフィール入力画面を呼び出して必要項目を入力

7 最初のChatGPTの公式サイトに戻り、ログイン

　これで、ChatGPT を使えるようになります。英語ばかりで不安になるかもしれませんが、日本語でも利用は可能です。

　画面下にある四角いスペースが、各種の指示を入力する場所です。
　試しに、何か調べたいことを「○○について教えて」と入力して、送信ボタンを押してみてください。内容によって文章の長短はありますが、すぐに回答が戻ってきます。

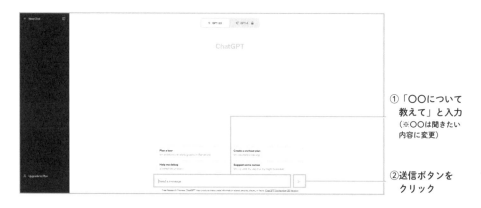

① 「○○について
　教えて」と入力
（※○○は聞きたい
内容に変更）

②送信ボタンを
　クリック

　そこから新たな質問をしてもよし、回答内容を深掘りするもよし。まずは対話型 AI とはどのようなものか、体感してみてください。

XでのChatGPT活用法

先ほどポストをつくるのに ChatGPT を活用していることをお話ししましたが、その際に欠かせないのが「プロンプト」です。

ChatGPT は、入力した指示に対応した回答を返してくれるのですが、必ずしもこちらが望んだ通りのものを返してくれるわけではありません。

ポストをつくってもらうときも、140 文字以内という文字数はあっていても、内容的にいまひとつということはよくあります。

こちらの要望に的確な回答を求める場合には、一定の形式にしたがって指示を出す必要があります。その形式のことを「プロンプト」と言います。

163 ページからの X 専用のプロンプトにしたがって必要項目を入力していけば、ほぼ意図通りのポストができあがるので、投稿をつくるのが格段にラクになるのは確実です。

※無料版（GPT-3.5）と有料版（GPT-4）では、生成物の精度に差があります。同じ指示をしても、両者で回答が異なる場合がありますので、ご了承ください。

※ AI は日々新しいデータを取り入れ、学習を続けています。そのため、本書の執筆時点と読者の皆さんが実際に ChatGPT を利用する時点では、何かしらの違いがある場合も考えられます。その点もご理解ください。

※ ChatGPT は 2022 年 1 月までのデータを学習した生成 AI であり、X が旧 Twitter だと把握していない可能性があるため、本書のプロンプトでは「X（旧 Twitter）」と記載しています。

投稿を超効率化！
X専用のプロンプト

プロンプトの使い方

163ページからのつくりたい投稿のプロンプトをChatGPTの入力欄に入力してください。

そして、黄色い下線を引いている箇所を自身の発信内容に合わせて変更してから、ChatGPTに向けて送信してください。

具体的な内容にするほど、自分が求めている文章をChatGPTが作成してくれる傾向にあります。

求めている答えが返ってこないこともあります。その場合には同じ内容を送信するたびに異なる答えが返ってくるので、何度か試してみてください。

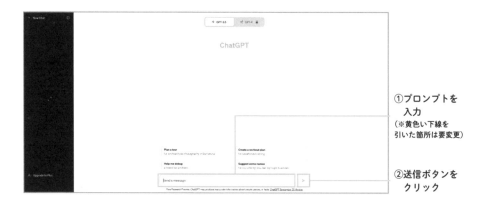

①プロンプトを
入力
（※黄色い下線を
引いた箇所は要変更）

②送信ボタンを
クリック

箇条書きの投稿を作成

箇条書きの文章で、読みやすい投稿文をつくっていきましょう。

■ プロンプト

あなたは X（旧 Twitter）インフルエンサーです。

以下の入力文をもとに、箇条書き形式を含めた、日本語で 140 字以内のXの投稿文を作成してください。ただし、文章中にハッシュタグは含めないでください。

入力文
（箇条書きポストのもととなるメッセージを入力）

■ 入力例

あなたは X（旧 Twitter）インフルエンサーです。

以下の入力文をもとに、箇条書き形式を含めた、日本語で 140 字以内のXの投稿文を作成してください。ただし、文章中にハッシュタグは含めないでください。

入力文

情報発信で成功している人は、人と関わって、毎日小さな目標を少しずつ達成して、感謝を忘れずに、人の努力を応援して、人の成功を喜んでいる。

■ 出力結果の一例

【成功する情報発信者が大切にしていること】

● 人とのコミュニケーションを大切にし、情報を共有することで自分も成長する
● 毎日の小さな目標を達成することで自信をつけ、大きな目標に向かって進む
● 感謝の気持ちを忘れず、助け合いの精神を大切にする
● 他人の成功を喜び、励まし合いながら自分も成長することを意識する

ストーリー形式の
投稿を作成

ストーリー性の高い内容で、フォロワーに読み込ませる文章を作成していきましょう。

■ プロンプト

あなたはX（旧Twitter）インフルエンサーで、自分のストーリーをXで語ろうとしています。
以下のストーリーネタをもとに、以下の要件を満たす、日本語で140字以内のXの投稿文を作成してください。ただし、文章中にハッシュタグは含めないでください。

読者層
（このポストを届けたい人の特徴を入力）

伝えたいメッセージ
（このストーリーを通して伝えたいメッセージを入力）

ストーリーネタ
（投稿のもととなる話を入力）

文章の条件
句点を多くして文章を頻繁に区切ること。丁寧語は使わないこと。
読みやすく明快で簡潔な文章にすること。

あなたはX（旧Twitter）インフルエンサーで、自分のストーリーをXで語ろうとしています。
以下のストーリーネタをもとに、以下の要件を満たす、日本語で140字以内のXの投稿文を作成してください。ただし、文章中にハッシュタグは含めないでください。

読者層
稼ぐために努力している人

伝えたいメッセージ
成功するためには、受けた恩を返すべき

ストーリーネタ
自分は5年前まで本当にダメな会社員で、上司が気にかけてくれていたんだけど、仕事への情熱もやる気も全然なくて、それで評価も低かったから給料も少なくて大変だった。もうどうしようって感じ。このままじゃダメだと思って、思い切って上司に相談してみたら、ダメ元で相談したんだけど思ったより親身になって話を聞いてくれて、アドバイスもくれて、すごくうれしかった。で、恩を返すようにめちゃくちゃ働いたんだけど、評価が上がって給料もめっちゃアップして、受けた恩を返すようにすれば成功するもんだなと思った。

文章の条件
句点を多くして文章を頻繁に区切ること。丁寧語は使わないこと。読みやすく明快で簡潔な文章にすること。

■ 出力結果の一例

> ５年前、ダメな会社員だった私。
>
> やる気もなくて評価も低く給料も少なかった。どうしよう…と悩んで上司に相談したら、親身になってアドバイスをくれた。
>
> 恩を返そうとめちゃくちゃ働いたら、評価も給料もアップ！恩返しが成功への近道だと気づいた。
>
> 稼ぎたいなら、まず受けた恩を返すことから始めよう。

過去のポストをマネた投稿を作成

ChatGPT を活用すれば、過去の自分の投稿をマネたポストをつくることも可能です。

■ プロンプト

X（旧 Twitter）の投稿文を複数個リストアップしますので、それらの書き方をマネして、以下の要件を満たす、日本語で 140 字以内の X の投稿文を作成してください。

ただし、文章中にハッシュタグは含めないでください。タイトルは不要です。

\# 読者層
（ポストを届けたい人の特徴を入力）

\# 伝えたいメッセージ
（フォロワーに伝えたいメッセージ、結論を入力）

\# 自分のアカウントの役目
（自分の情報発信がどのような役に立っているかを入力）

\# ポストのスタンス
（自分がフォロワーに対してどのような立ち位置、雰囲気で発信するかを入力）

＃Xの投稿文

（ここに、過去の自分の投稿文を貼る）

＃Xの投稿文

（ここに、過去の自分の投稿文を貼る）

（もっとリストアップしたい場合は、同じようにXの投稿文を貼る）

■ 入力例

X（旧Twitter）の投稿文を複数個リストアップしますので、それらの書き方をマネして、以下の要件を満たす、日本語で140字以内のXの投稿文を作成してください。
ただし、文章中にハッシュタグは含めないでください。タイトルは不要です。

＃読者層
独立してもっと稼ぎたい人

＃伝えたいメッセージ
会社をやめて独立したいなら、稼げるスキルを得る必要がある

＃自分のアカウントの役目
個人で稼ぐ力を得るために必要なお役立ち情報やマインド、自分の経験談をフォロワーに伝える

＃ポストのスタンス
フォロワーの困りごとに共感して寄り添い、フォロワーの行動を後押しする

＃Ⅹの投稿文
今月メンバーの報酬が400万円超える人がいてマジでビビっている。年収やん！僕の周りにいてくれる人たちがどんどん成長して人生を変えていくのはマジで気持ちがいいし感謝しかない。メンバーも顧客も優秀な人ばかりでそのおかげで僕が在ります。

＃Ⅹの投稿文
事業始めて毎年右肩上がりだが、1年目より今のほうが自分しょぼいなって思ってる。それはステージが上がるごとに付き合う人のレベルも上げてきたから。今も自分より凄い人ばかり追っている。稀にちょっと頭出たら自分より実力が下の人とだけ関わるようになる人いるけど99％破滅する。

■ 出力結果の一例

「独立するには、稼げるスキルが必要」と思っている方へ。私も同じ思いでした。

でも、周りの優秀な人たちと関わりを持ち、自分よりも実力が下の人たちにも学びました。今の自分があるのは、彼らと出会えたおかげです。

あなたも周りの人たちとコミュニケーションを取り、成長しましょう！

欲しいリプライが
受け取れる投稿を作成

　フォロワーから受け取りたいリプライを想定し、そこから逆算して投稿文を作成してみましょう。

■ プロンプト

> あなたは X（旧 Twitter）インフルエンサーです。
>
> 以下の返信例が返ってくるような、日本語で 140 字以内の X の投稿文を作成してください。
> ただし、文章中にハッシュタグは含めないでください。
>
> # 返信例
> - （フォロワーからリプライしてほしい文章を入力してください）
> - （複数個ある場合はこちらに続けて入力してください）

■ 入力例

> あなたは X（旧 Twitter）インフルエンサーです。
>
> 以下の返信例が返ってくるような、日本語で 140 字以内の X の投稿文を作成してください。
> ただし、文章中にハッシュタグは含めないでください。

返信例

- 勇気づけられました。ありがとうございます。
- これからも行動し続けます。
- あなたにも辛い経験があったんですね。私もあなたのように逆境に負けずに頑張ります！

■ 出力結果の一例

皆さんも一度は辛い経験をしたことがあると思います。でも、それを乗り越えた時に得られるものがあるはずです。
私自身、何度も挫折を経験してきましたが、その度に自分自身を信じて前に進んできました。一緒に頑張りましょう！

フォロワーの不安を
払拭する投稿を作成

　フォロワーが抱えている不安をポジティブに変換できるような投稿文を作成してみましょう。

■ プロンプト

> あなたはX（旧Twitter）インフルエンサーです。
> あなたの役目は、フォロワーの抱えている不安な気持ちをポジティブな感情に変換することです。
> フォロワーが不安に感じていることを以下に記載するので、それらの不安を払拭できる、日本語で140字以内のXの投稿文を作成してください。
> ただし、文章中にハッシュタグは含めないでください。
>
> # フォロワーが不安に思っていること
> - （フォロワーが不安に感じていそうな具体的な内容を入力してください）
> - （複数個ある場合は、こちらに続けて入力してください）

■ 入力例

> あなたはX（旧Twitter）インフルエンサーです。
> あなたの役目は、フォロワーの抱えている不安な気持ちをポジティ

ブな感情に変換することです。

フォロワーが不安に感じていることを以下に記載するので、それら
の不安を払拭できる、日本語で 140 字以内の X の投稿文を作成し
てください。

ただし、文章中にハッシュタグは含めないでください。

フォロワーが不安に思っていること
- SNS のフォロワーが伸びない
- 他人が成果を出しているのに自分は何の成果も出ていない

■ 出力結果の一例

SNS でフォロワーが伸びないことや他人の成果に焦りを感じるこ
とは誰にでもあること。

焦らず、自分らしい発信を心掛けていれば、きっと充実感と成果が
訪れます。

自分のペースで進んでいきましょう。

過去と現在を比較する投稿を作成

あなたの過去と現在の違いを強調して、フォロワーから共感が得られる投稿文を作成しましょう。

■ プロンプト

あなたは X（旧 Twitter）インフルエンサーです。

過去と現在を比べて大きく変化したことを X で発信しようと考えています。

過去と現在の状況を以下に記載するので、過去と現在を比較して大きく変化した箇所を抽出してください。

抽出したものを強調して、日本語で 140 字以内の X の投稿文を作成してください。ただし、文章中にハッシュタグは含めないでください。

過去

- （自分が過去に悩んでいたことを具体的に入力してください）

現在

- （過去の悩みと比較して、自分の現在の状態を具体的に入力してください）

■ 入力例

あなたは X（旧 Twitter）インフルエンサーです。

過去と現在を比べて大きく変化したことを X で発信しようと考えています。

過去と現在の状況を以下に記載するので、過去と現在を比較して大きく変化した箇所を抽出してください。

抽出したものを強調して、日本語で 140 字以内の X の投稿文を作成してください。ただし、文章中にハッシュタグは含めないでください。

＃過去

仕事を休むということにストレスを感じていた。有給を取るのに気を使うことが煩わしいからだ。気にし過ぎかもしれないが、こういうことでストレスを感じるのは嫌だった。そもそも、休みを取りたくても取れなかった。

＃現在

自由に働き方を選んでいる。旅行は平日にしか行かない。休みたいときに休んで、好きなことをしている。でも、1 年あたりの休日は昔より少ない。それでもストレスが少ないのは今の仕事が好きだからだと思っている。

■ 出力結果の一例

過去は有給休暇を取ることがストレスだったけど、現在は自由な働き方で好きなときに休める。
休みが減った分ストレスもある。でも、やりがいのある仕事をしているから大丈夫。働き方が変わったけど、自分の幸福度は上がったと感じている。

行動を促す
投稿を作成

どんな目標でも達成するうえで必要なのは、行動して継続すること。フォロワーに行動を促して、目標達成に向けた努力を後押しするような投稿文を作成してみましょう。

■ プロンプト

あなたはX（旧Twitter）インフルエンサーで、フォロワーに向けて行動を促す投稿をしようと考えています。

やめてほしくないこと
 -（フォロワーにやめてほしくないことを入力してください）
 -（複数個ある場合は、こちらに続けて入力してください）

やめなかったあなた自身の成功体験
 -（自身がやめなかったことで得られたメリットを入力してください）

上記のフォロワーに続けてほしいことと、あなた自身の成功体験をもとに
 - やめてほしくない理由
 - やめずに継続するとどんな良いことがあるのか
の2点を追加して、日本語で140字以内の投稿文を作成してください。ただし、文章中にハッシュタグは含めないでください。

■ 入力例

あなたはX（旧Twitter）インフルエンサーで、フォロワーに向けて行動を促す投稿をしようと考えています。

やめてほしくないこと
- **毎日Xで情報発信をすること**
- **チャレンジすること**

やめなかったあなた自身の成功体験
- **X上で仲間ができた**

上記のフォロワーに続けてほしいことと、あなた自身の成功体験をもとに
 - やめてほしくない理由
 - やめずに継続するとどんな良いことがあるのか
の2点を追加して、日本語で140字以内の投稿文を作成してください。ただし、文章中にハッシュタグは含めないでください。

■ 出力結果の一例

Xで情報発信を続けることとチャレンジすることが大事！
私もそうでしたが、継続することでX上で仲間ができ、成功体験を得られます。やめずに続けることで、自分自身の成長や新しい出会いが待っています。

社会に疑問を投げかける投稿を作成

社会常識に疑問を投げかける投稿をすることで、多くの人から意見やリプライが期待できる投稿文を作成してみましょう。

■ プロンプト

> あなたは X（旧 Twitter）インフルエンサーです。
> 世間で当たり前と考えられていることに疑問を投げかけるような投稿をしようと考えています。
> 社会で常識と考えられていることを以下に記載するので、それに疑問を呈してフォロワーに問いかけをするように、日本語で 140 字以内の X の投稿文を作成してください。
> ただし、文章中にハッシュタグは含めないでください。
>
> # 世間で当たり前と考えられていること
> - （一般的に、「当たり前だ」と考えられていることを入力してください）
> - （複数個ある場合は、こちらに続けて入力してください）

■ 入力例

> あなたは X（旧 Twitter）インフルエンサーです。
> 世間で当たり前と考えられていることに疑問を投げかけるような投

稿をしようと考えています。

社会で常識と考えられていることを以下に記載するので、それに疑
問を呈してフォロワーに問いかけをするように、日本語で 140 字
以内の X の投稿文を作成してください。

ただし、文章中にハッシュタグは含めないでください。

世間で当たり前と考えられていること
皆と同じことをしていたら褒められて、出る杭は打たれる

■ 出力結果の一例

「出る杭は打たれる」とは、社会で個性を発揮しようとすると攻撃
されるという考え方。

でも、それは本当に正しいの？個性が尊重される社会を目指すべき
じゃない？

同調圧力に屈しない勇気を持ちましょう。

お手本にするアカウントの投稿を分析する

　ChatGPT を使えば、投稿文の作成だけでなく、他の投稿者の特徴を分析することも可能です。そこでこの章の最後に、ChatGPT を活用して同ジャンルで活躍している人を分析する方法をご紹介します。

■ プロンプト

あなたは SNS アカウントの分析・改善提案を担当するアナリストです。以下は、ある一人のインフルエンサーが X（旧 Twitter）に投稿した文章です。これらの投稿文をもとに、以下の質問に日本語で答えてください。

\# 質問
- この人の強みはなんですか？
- 以下の X の文章以外で、この人が X で言いそうなセリフはなんですか？
- この人が X で絶対に言わなそうなセリフはなんですか？

\# X の投稿文
　（ここに、X の投稿文を貼る）

\# X の投稿文
　（ここに、X の投稿文を貼る）

（もっとリストアップしたい場合は、同じようにXの投稿文を貼る）

■ 入力例

あなたはSNSアカウントの分析・改善提案を担当するアナリストです。以下は、ある一人のインフルエンサーがX（旧Twitter）に投稿した文章です。これらの投稿文をもとに、以下の質問に日本語で答えてください。

質問
- この人の強みはなんですか？
- 以下のXの文章以外で、この人がXで言いそうなセリフはなんですか？
- この人がXで絶対に言わなそうなセリフはなんですか？

Xの投稿文
今月は売上400万円超えの人がいてマジでビビっている。年収やん！僕の周りにいてくれる人たちがどんどん成長して人生を変えていくのはマジで気持ちがいいし感謝しかない。

Xの投稿文
事業を始めて毎年右肩上がりだが、1年目より今のほうが自分しょぼいなって思う。それはステージが上がるごとに付き合う人のレベルも上げてきたから。今も自分より凄い人を見ては必死に追いかけてる。自分より実力が低い人とだけ付き合いたがる人もいるけど、99％破滅する。

#Xの投稿文

20歳の人に直接会って、あれこれ聞いてきた。当たり前のように
SNSで購買の比較検討をするらしい。データでは見たものの、本
当かどうか確かめたくて何人かに直接話を聞きにいったらマジだっ
た。向こう10年で彼らが市場の中心になる。絶対全員SNSを今
から取り組んでいたほうが良い。

■ 出力結果の一例

- この人の強みは、ビジネスにおいて常に成長を追求する姿勢や、
  市場のトレンドに敏感な目を持っていること、自己改革に積極的
  であることなどがあげられます。
- この人がXで言いそうなセリフは、「新しいビジネスモデルを考
  えてみた」「今日もトレンドを追いかけていたらあっという間に
  時間が過ぎてしまった」「ビジネスにおいては、ネットワークが
  何よりも大切だと思う」などです。
- この人がXで絶対に言わなそうなセリフは、「どうせ他の人も
  やっているから、私もやろうかな」というような安易な考え方
  や、「私が失敗するなんてありえない」というような自己中心的
  な発言などです。

Chapter

10

フォロワーの
反応を読み解く
「分析入門」

初心者が押さえるべき3つのデータ

分析は「アナリティクス」ツールをフル活用

　自分のポストやX上での行動を見直し、フォロワーの反応を分析することは、集客の成功には必要不可欠です。

　その際に重要なのは「きっとこれが要因に違いない」「これが悪かった（よかった）からだろう」という、自分の思い込みで判断せず、データを使って、できるだけ客観的に分析をすることです。

　Xには、そのような分析をするために「アナリティクス」というツールが用意されています。
　アナリティクスには、次の方法でアクセスします。

1 **PCでXを起動**

2 **左サイドの「もっと見る」から「Creator Studio」→「アナリティクス」の順にクリック**

「もっと見る」を選択

「Creator Studio」の
「アナリティクス」を選択

アナリティクスのトップページには「過去28日間でのパフォーマンスの変動」として2つの数字が並んでいます。意味はそれぞれ次のとおりです。

- ツイートインプレッション：自分のポストが表示された回数
- フォロワー数：現在のフォロワー数

そしてまた画面の右側には、過去数ヶ月にわたる、ポストのインプレッションや新しいフォロワーの数が、月ごとに並んでいます。

　過去７日間の「プロフィールへのアクセス数」と「新しいフォロワー数」は以下の手順で確認することができます。

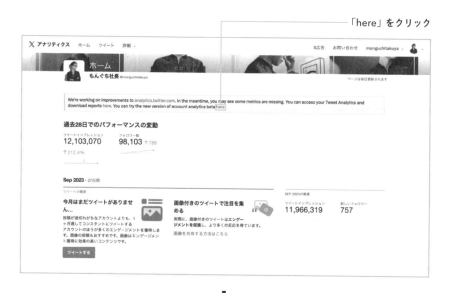

「here」をクリック

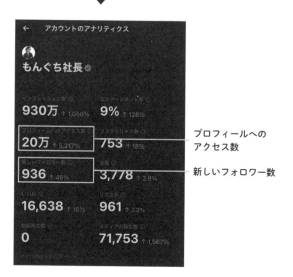

プロフィールへの
アクセス数

新しいフォロワー数

※こちらは2023年10月時点のXのベータ版のサービスのため、公式
　HPで最新情報をご確認ください。

分析するべき3つのこと

アナリティクスを活用して、まず分析すべきことは3つです。

1 フォロー率

フォロー率とは、プロフィールページに来たユーザーがフォロワーに
なった割合で「新しいフォロワー÷プロフィールへのアクセス数」で算
出します。そして基準となる数値は2%です。

フォロー率が2%以上であれば問題ありませんが、2%未満なら、プ
ロフィールが悪い、あるいは、ポストの内容とプロフィールに書かれて
いることが一致していないなどの理由が考えられます。

その場合、プロフィールの内容をよりユーザーに刺さるように調整す
るか、あるいはポストの内容を見直すか、いずれかの方法でフォロー率
を向上させる必要があります。

2 インプレッション数

自分の投稿が何回表示されたのかを確認することも重要です。

これからXで集客を始める方は、まずは初月のインプレッション数
として10万回以上を目指しましょう。

1ヶ月は約30日ですから、1日あたり3333回（10万回÷30日）以上の
インプレッションが必要になる計算ですね。

そして、1日あたりのポスト数によって、1回のポストに必要なイン

プレッション数を導き出すことができます。

　たとえば、朝昼晩の3回ポストする予定なら、1111回（3333回÷3回）は、1回のポストで必要になるな、といった具合です。

　運用してみて、「初月に10万回」という目標の数に届かないとわかったときには、達成できるようにポスト数を増やしてみましょう。

まずは多くの人の目にふれる機会を自分でつくり出すことが大切です。

　ある程度Xを続けてきた人であれば、インプレッション数を伸ばす方法も見えてくるので、10万、30万という数値目標を立てることができますが、これからXを始める人の場合には、そこまで意識する必要はありません。

❸ 伸びているポストのテーマと構成

　次に、ポストに対する反応を分析します。

「アナリティクス」上で、ポストに関する情報を見られる「ツイートアクティビティ」は、画面最上部の「ツイート」というテキストを押すと開きます。

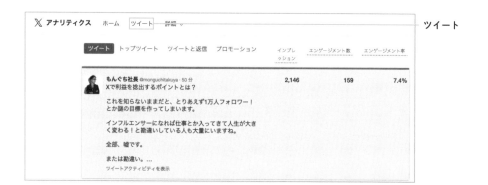

——→ ツイート

画面右側には、エンゲージメントに関するデータが並んでいますが、ここは参考程度に見ておけば大丈夫です。

　それよりも重要なのが、伸びているポスト、つまりインプレッションの多いポストを確認することです。

　まずページの右上にあるボタンで調べる期間を選択し、棒グラフの下にある「トップツイート」というテキストを押すと、その期間内のポストがインプレッションの多い順に並んで表示されます。

　ここで、伸びているポストのテーマと文章構成を確認したら、次にすることは、同じテーマで文章構成を変えてみる、あるいは、同じ文章構成でテーマを変えてみる、などの方法で、どのようなポストがもっとも刺さるのかをテストすることです。

　そうすることで、勝ちパターンのポストが見えてくるので、それを軸にポストを改良していきます。

　ただこの勝ちパターンも、時間の経過とともに変化していきます。
　変化の激しいＸの世界では、半年前には伸びていたのに、今ではそれほどでもないということは十分にありえます。

常日頃から丁寧にデータを追い、トレンドに合わせて調整していくことが重要です。

フォロー率が2%未満なら、今すぐプロフを改善せよ

プロフィールの問題点を確認する

プロフィールのクリック率（プロフィールクリック数／インプレッション数）は、6〜8％が基準になります。

プロフィールのクリック率は基準値以上なのにフォロワーが増えない場合、理由はただひとつ。プロフィールに魅力がないからです。

先ほどフォロー率2％以上が基準ということをお話ししましたが、そこに届かないということは、プロフィールを見に来た100人のうち、1人しかフォローしなかったか、誰もフォローしてくれなかったということです。

たまたま、読んだポストとプロフィールの関連性が薄かったためにフォローされなかったという可能性もありますが、100人中99人、ないし100人全員がそのような状況だったということは、考えづらいでしょう。

Chapter4で「5秒でフォローされるプロフィール」の作成方法を説明しましたが、ここで考えた内容が本当にペルソナのニーズを満たすものだったのか、謙虚に考え直すいい機会です。

プロフィールのそれぞれの要素を点検してみましょう。

● プロフィール画像

Chapter4 で、顔出し OK の方は自分の顔写真、身バレ NG の方はプロのイラストレーターに描いてもらったイラストがおすすめという話をしました。

それらをクリアできているのであれば、別候補の写真やイラストを何人かに見てもらい、評判のいいものを選び直しましょう。それでももし現状のものが一番よいという判断であれば、画像を変更する必要はありません。

ビジュアルは、生理的に合う・合わないという問題があるので難しい点はありますが、多くの人に好感を持たれる画像を使ってください。

● 名前

メインの名前は、既存のフォロワーもいるので変えるべきではありませんが、「｜」の後に打ち出す自分の強みを見直してみましょう。

たとえば、マーケティングを教えるアカウントであれば、「○○｜マーケティング講師」というより「○○｜1万人を育てた伝説のマーケティング塾を運営」としたほうが、インパクトがありますよね。嘘は絶対にダメですが、アピールできる部分を端的に、明確に伝えられているか、見直してください。

● プロフィール文

フォローされない一番の理由は、プロフィール文がユーザーのニーズに合っていない、アピールできていないという可能性が非常に大きいです。

とはいえ、自分一人で再考しても、同じ人間が考えることなので劇的な改善を図るのは難しいかもしれません。

そこでひとつのヒントとなるのは、エンゲージメントの高い投稿に書かれている要素の中からプロフィールに活かせそうなものを盛り込んで、全体を調整することです。

　いわば「ユーザー視点でのプロフィールづくり」です。

　たとえば、「1ヶ月で200万円の売上を達成」というポストの反応がよく、そのことがプロフィールに盛り込まれていないのであれば「1ヶ月200万円を売り上げるスキル教えます」などのようにしてみます。

　ただし、いくらエンゲージメント率が高いポストであっても、単なるお役立ちネタだったり、本来のアカウントの方向性とずれているものは、盛り込むべきではありません。

　肝心なのは、あくまでもアカウントの軸をブラすことなく、ユーザーニーズに応えられることをしっかりと伝えるということです。

　プロフィール文は、一度つくれば終わりというものではありません。フォロー率の高いプロフィール文も、時間の経過とともに必ず修正が必要になります。

　プロフィール文づくりには終わりはないというつもりで、よりよいものとなるよう修正を重ねていきましょう。

数値以外の超有益な分析方法

フォローしてくれた理由を聞くのが一番確実

　人間が一番知らないのは自分自身のことだと、よく言われます。

　試しに「自分のいいところと悪いところを5個ずつあげてみて」という質問をすると、自分ではまったく想像もしていなかった答えが返ってきて、驚くことが多いです。

　同様に、Xのユーザーが誰かをフォローする理由も、予想外のことが多くあります。

　私も生徒さんに受講のきっかけを聞くことがたまにありますが、その答えに「SNSマーケティングを学べるから」というのは当然として、「話を聞いていてめっちゃ元気が出たから」などの意外な答えが非常に多いのです。

　自分の生徒さんたちは、SNSマーケティングに関する最新の情報や詳しい知識を求めるだけでなく、元気も欲しがっていたのですね。

　もし生徒さんと直接コミュニケーションを取っていなかったら、元気の出る言葉がけよりも、お役立ち情報のポスト量をもっと増やしていたかもしれません。

　アナリティクスを使うことで、インプレッションやエンゲージメント

の多いポストを調べることはできます。そしてそれをもとに、受けのいいポストの傾向を知ることもできます。

　ただ、数値だけを追ってみても、ユーザーは何が気に入ってフォローするに至ったのかまではわかりません。数値分析を重視するあまり、ポストする内容にバイアスがかかってしまうこともありえます。

　そのようなときにヒントになるのが、フォロワーの意見や感想です。

フォロワー調査の方法

　フォロワーに響くポストをしていくためには、アナリティクスで把握できる定量的なデータ分析だけではなく、フォロワーに直接意見を聞く定性的な調査も欠かせません。

　ただし、まだ人間関係ができていない中で、根掘り葉掘り自分をフォローした理由を聞いても、おそらく気味悪がられるだけです。

　そこで簡単な挨拶程度でよいので、新しくフォロワーになった人の中から、ペルソナに近そうな数人を選び、フォローしてくれたお礼と、「よりよい情報提供をしていきたいので、フォローした理由を教えてもらえませんか？」というお願いを DM で送ってみましょう。

　そこで得られた情報とアナリティクスでの分析結果を合わせ、フォロワーが期待することを抽出することで、より効果的なポストができるようになります。

　SNS 上でのつながりではあっても、人間対人間の関係です。

自分とつながっているのは「フォロワー」というデジタル上の存在ではなく、あくまでも生身の人間だということを意識して、その思いや考えに応えるポストをしてほしいと思います。

Chapter

11

Xで稼ぐ
4つの方法

今すぐ始められる
稼ぎ方

フォロワーが少なくても稼げる「アフィリエイト」

集客の目的が何であれ、一度チャレンジしてほしいのが「Xで稼ぐ」という体験です。

手っ取り早いお小遣い稼ぎとしておすすめなのは「アフィリエイト」です。

本書の読者の中には、ブログでのアフィリエイト経験のある方が少なくないと思いますが、ブログは記事を書くのに時間がかかりますし、一定数の読者がつかない限りなかなか拡散されるのは難しいものです。

しかしXであれば、商材によっては自分のフォロワーが少なくてもリポストされる可能性もあり、そこで拡散されれば、売上につながることが期待できます。

アフィリエイトについては「Amazonアソシエイト」「楽天アフィリエイト」「A8.net」「バリューコマース」など、多くのサービスが展開されています。サイトによって、特性や取り扱い商品が異なりますので、まずは自分のアカウントと相性の良い商材を探してみるのがよいでしょう。

商材の販売価格や自分の手元に入ってくる料率を考えた場合、そのよ

うなアフィリエイトだけで生活していくのは現実的には難しいですが、月数万円でも売上があれば、お小遣い稼ぎにしては十分だと思います。

初心者でも「売れやすくなる」裏ワザ

さらに、いい形でトレンドにのって、初心者でもアフィリエイトで稼げる方法があります。

それは、ニュースサイトや X のトレンドワードを見て、「今なにが盛り上がっているか」を確認し、そのトピックスに関連する商材を紹介するという方法です。

私は格闘技ファンなので、その例を紹介すると、那須川天心選手がキックボクサーからボクサーに転向した際のプロデビュー戦が Amazon のプライムビデオで独占配信されました。

当然 X 上でも、那須川選手に関する大量のポストがありましたが、自分でも那須川選手に関するポストをして、そこに Amazon プライムのアフィリエイトリンクを張っておくのです。

結果、自分に影響力がなくてもトレンドに乗ることでインプレッションが増え、アフィリエイト経由での Amazon プライムの加入者も増え、売上をつくったという例があります。

これはスポーツに限られたわけではなく、人気アーティストのライブの独占配信をするサイトや、新しい iPhone の発売時に合わせて iPhone のアクセサリーのアフィリエイトリンクを張っておくなど応用はいくらでもできます。これなら X 初心者でも簡単に取り組めるでしょう。

2 アフィリエイトで稼ぐなら 『Brain』がおすすめ

Xとの相性がいい『Brain』

　簡単に始められる分、稼ぎはお小遣い程度というのがアフィリエイトの現実ですが、その限界を超える可能性があるアフィリエイト、それが知識共有型プラットフォーム『Brain』(https://brain-market.com) のアフィリエイトです。

　Brain では1万円から10万円くらいまでの有料コンテンツが販売されていて、そこにアフィリエイト機能もついています。

　Brain の運営会社の社長は、もともと X で情報発信をしながら影響力をつけていった方なので、Brain の仕組みそのものが X との相性がよく、また、Brain のコンテンツも X で売れやすいという特徴があります。

　まさに X だからこそできる、X で成約しやすいアフィリエイトと言えるでしょう。

　その方法ですが、たとえば、SNS マーケティングの世界で影響力があるインフルエンサーが、Brain でマーケティング講座を販売したとします。
　当然、その講座は人気が出て売れるわけですが、そのときに自分も購入して実際に講座で勉強して、アフィリエイトリンクをつけてその感想をポストします。感想は「すぐに学んだことを実践してみたい」「こん

なことに悩んでいる人におすすめ！」など、ポジティブな内容です。

　販売者は、商材が高く評価されればうれしいものです。またポジティブな口コミはリポストしたくなるので、インフルエンサーが自分の投稿をリポストしてくれます。

　すると、その投稿を見た人が新たに購入し、それによってアフィリエイトが発生するという仕組みです。

Brainなら初心者でも10万円以上稼げる!?

　しかも、Brain の場合は数千円〜数万円と商材の単価が高く、アフィリエイトの報酬も販売者が決められるという特徴があります。

　Amazon や楽天など、他のアフィリエイトは商材の単価があまり高くなく、しかも報酬が数％と決められているため、大きく稼ぐのはなかなか難しいのが現実ですが、Brain の場合はその壁を越えられる可能性が高いということです。

　販売者自身が、これは放っておいても売れると思えばアフィリエイト報酬を低く抑える場合もありますが、売るのが難しい、あるいは多くの人に買ってほしいと考えるのであればアフィリエイト報酬を高めに設定してでも、販売量を増やそうとするでしょう。

　実際そのようなケースで 10 万円以上、アフィリエイトで稼げる場合もあるくらいです。

　Brain は、扱っている商材の特性上、Amazon や楽天のようにマーケットは大きくないものの、購入意欲の高いユーザーが多いのが特徴で、だからこそこのような高額なアフィリエイトが成り立つのです。

私もよく Brain で講座を販売しますが、以前 500 円という価格で販売したところ、たくさんの方にアフィリエイトで協力してもらい、結果的に 6000 本売れました。そして中には「初めてアフィリエイト報酬をもらいました」という人もたくさんいました。

　これは、Brain と X の相性のよさの証明でもあると思います。

　Brain で関心のある分野の講座を買って知見を高め、その講座のアフィリエイトでお金を稼ぐ。Brain であれば、そのような一石二鳥も実現できます。

　アフィリエイト初心者の方にも、おすすめです！

運用代行の需要は
意外なところに

案外多い「X難民」

X での投稿にも慣れてきて、フォロワーが 1000 人くらいになったら、X の知見を高めるためにもチャレンジしてほしいのが、身近なお店の X の運用代行 です。

世の中には「X をやったほうがいいとは思うけど、やり方がよくわからない」「X を始めたけど続かないので、誰かに代わりに投稿してほしい」という個人店の経営者が非常にたくさんいます。

そのような人の X のアカウント開設を手伝ったり、「月額○円で 1 日 1 回ポストする」という約束で、仕事を請けたりするのです。

自分で X をやっている人には、にわかに信じられないと思いますが、世間にはそういったニーズが思いのほか多くあります。

企業のホームページのことを考えてみてください。
今どき、ホームページを持っていない企業やお店は、ほとんどないでしょう。ホームページをどのように活用するのかイメージはなくても、ホームページがなくては格好がつかない……。そのような思いで、誰かに頼んでホームページをつくる企業やお店は非常に多いのです。

X もそれと同じです。

「みんなやっているみたいだし、自分もやらないと」と考えている人はたくさんいます。

しかし、毎日投稿を続けるのは、案外ハードルが高いもの。

最初のうちは書くことはいろいろあっても、計画的にポストの内容を考えていかないと、すぐに行き詰まってしまいます。

そこで自分の経験を活かして、苦しんでいる人たちの運用を代行してあげるということです。

知り合いのお店でスモールスタートがベスト

では、その依頼主はどのように探すのかといえば、基本的にはリアルの営業です。

Xを普段利用していない人たちの運用代行をするのですから、Xで告知しても依頼主は見つかりません。

「営業」というとハードルが高そうですが、いわゆる「飛び込み営業」のようなことではなく、普段よく行く店で話をしてみるという気持ちで始めるのが、気がラクでしょう。

たとえば、月イチで通っている美容院で、さりげなくXをやっているか聞いてみて、もしやっていなかったら、そこで売り込みスタートです。

その商談で注意するべき点は、代行の内容をあくまでも「1ヶ月に○回の投稿をする」「その投稿内容と、リプライがあればそのやり取りを報告する」というレベルにとどめておくということです。

というのも、本来的な意味でのX運用代行の価値とは、売上向上や集客増などのバリューを生み出すことにあるからです。

　しかしこれを実践するためにはXと他のメディアを組み合わせた展開ができるなど、SNSマーケティングについて深い知識と経験が必要になります。

　「X運用代行」というとそこまでを期待する店舗もありえますが、そこまで対応できるスキル、自信がない場合には、はっきりと伝えておいたほうが後々トラブルになりません。

　また報酬については先にあげたようなレベルで、1ヶ月3〜5万円くらいが相場でしょう。もちろん運用代行をやってみて自分に合っていると思うのであれば、分析やマーケティングをしっかり学んで知見を高めて業務の内容も高度化し、あわせて報酬も1ヶ月10万円、15万円と、上げていくこともできます。

　スモールスタートであっても、その気になればスキルの向上も実現でき、さらに副収入にもつながる運用代行は、やりがいがあるのではないでしょうか。

ポストするだけで稼げる「広告収益の分配」

Chapter11
4

2023年7月に広告収益分配プログラムが発表され、日本では8月に導入が開始されました。

YouTubeチャンネルの視聴数に応じて、Google社から広告収益がクリエイターに分配されるように、Xでも同じような稼ぎ方ができる時代がやってきたのです。

収益化にあたっては以下の条件を満たす必要があります。

- フォロワーが500人以上
- 過去3ヶ月のインプレッション数が合計500万以上
- プレミアムまたはXプレミアムプラスに加入している
- 年齢が18歳以上

気になる収益額ですが、私のアカウントでは約18万円でした。収益額を口外することは禁止されていないので、公開している有名人の方も何人もいましたね。

これだけで生きていくというのは難しいかもしれませんが、他の目的でX運用を継続しながら、こうしてお小遣い稼ぎするのもおすすめです。

もっと稼ぎたい人はコンテンツ販売がおすすめ

次世代の稼ぎ方「コンテンツ販売」

　さて、ここまでXで手軽に稼げる方法として、アフィリエイトと運用代行を紹介してきましたが、せっかくXで集客する方法がわかったのだから、もう少し稼いでみたいという方もいると思います。そのような人におすすめなのが、コンテンツ販売です。

　私が主宰するSNSマーケティングの学校で生徒さんに教えているXでの稼ぎ方は、おもにこのコンテンツ販売です。

　202ページで、Brainのアフィリエイトについて紹介しましたが、自分でつくったコンテンツをBrainで販売するというのが、お金をより稼ぎたい方にはおすすめの方法です。

　こういう話をすると「自分にはコンテンツなんてつくれないよ」という反応を示す方が非常に多いのですが、それは「コンテンツ」を難しく捉えているからです。

　人気YouTuberのような面白い動画や、人気ブロガーが書いているような記事をつくる必要はまったくありません。
　自分が誰かに教えられそうなことを文章にまとめて、簡単なテキストをつくり、それを販売するだけです。

アカウント設計のところでもお話ししたように、人は誰でも、他人よりすぐれている点を見つけられます。

　それに関するコンテンツをつくればいいのです。

　Brain の場合、マーケティングやプログラミングなどの講座が比較的多く販売されていますが、どのようなコンテンツをつくるかは、自分のフォロワーがメインの販売対象になると考えれば、特に上記のジャンルにこだわることはありません。アカウントや、発信している情報にふさわしいコンテンツであれば OK です。

　バランスボールのダイエット、ハンドメイドアクセサリーを自作してインターネットで販売していく方法、マーケティング、ファッションスタイリスト講座、英語講座、ライター講座、動画編集講座など、皆さん、本当にさまざまなジャンルの講座を展開しています。

　ちなみに売れやすいジャンルは、恋愛・婚活系、ダイエット法も含む健康系、お金を稼ぐ系です。誰しも関心があり、悩んでいる分野だからでしょう。

　テキストだけでなく動画を使った講座や、さらに Zoom でのマンツーマンサポートもつけた講座がありますが、手始めに軽くつくるのであれば、文字だけのコンテンツで十分です。

1回つくれば売上が伸び続ける、それがコンテンツ販売

なぜコンテンツ販売がおすすめかといえば、コストがほとんどかからず、自分で自由に値付けができるからです。

コンテンツの値付けに関しては、文章のみ、動画あり、オンラインでの個別対応つきなど、内容によって一定の相場感はありますが、コンテンツのニーズ次第では相場から外れているものでも販売は可能です。

特に、購入者数は少なくても強いニーズのある、希少性の高いコンテンツであれば、強気な値段設定ができます。

また、文字だけのコンテンツを販売するのであれば、Brain ではなく『note』(https://note.com) が手軽でおすすめです。

note には、コンテンツの冒頭だけ見せ、それ以降を読みたいユーザーは課金するという仕組みがあるので、"引き"をうまくつくれれば、相当な売上も期待できるでしょう。

文字だけなので、1回つくってしまえば、マーケティングに若干の労力は必要になるものの、あとは基本的には放っておくだけ。売れれば売れただけ、稼ぐことが可能です。

多少労力をかけても、お小遣い以上稼ぎたいという方は、ぜひコンテンツ販売にチャレンジしてみてください。

コンテンツ作成の
ポイント

どのレベルの人をどこまで引き上げるのか

つくれそうなコンテンツを決めたら、実際に制作に取り組んでみましょう。

コンテンツには、テキストだけのものから、動画があるもの、さらにZoomなどによるオンラインサポートをつけたものまで、バラエティがいろいろあることは説明しましたが、今回は気軽にチャレンジできるという点もあり、テキストのみのコンテンツづくりの概要をお話しします。

たまに説明用の図やイラストなどが必要になったとしても、文章を書いて、プラットフォームにアップするだけなので、かなりハードルは低いと思います。

まずコンテンツづくりでもっとも重要なことは、アカウント設計と同様、「どのレベルの人をどこまで引き上げるものなのか」を明確に意識しておくことです。

たとえばSNSマーケティングで収入を得る教材をつくるとすると、その場合のイメージは次のようになります。

1 まったくの初心者を、1ヶ月5万円くらい稼げるようにする

2 1ヶ月5万円くらいは稼いでいる初級者を10万円以上稼げる中級者にする

3 1ヶ月10万円前後稼いでいる中級者を数十万円レベルの上級者に引き上げる

　教える内容によって違いはあると思いますが、レベル感としてはこのような「基礎」「応用」「発展」といった3段階くらいで考えるとよいと思います。

　教材づくりで「何を書いたらいいのかわからない」という人の大半は、この絞り込みができていません。
　逆に絞り込みができていれば、レベルの差はあっても、教えるべき情報は限られてきます。あとはそれをわかりやすく整理すれば、教材の完成です。

「その整理の仕方がわからない」という場合は、これから教えようとしているスキルを身につけるために自分が体験してきたことを、順番に並べてみてください。

　おそらく、

「目標を達成するためには何をしたらいいのか調べる」
↓
「調べてわかったことを実践するために、必要な準備をする」

↓

「準備ができたら実際にやってみる」

↓

「やってみた結果、よかった点、改善するべき点を分析する」

↓

「再度実践してみる」

というプロセスをたどるのが一般的だと思います。

　それぞれのプロセスで何をしたか書き出してみて、さらに気づいたことがあれば追加して、できあがった項目を順番に並べます。

　そしてさらに、そのプロセスを誰かに説明してみると、自然と頭も情報も整理できます。

完璧を求めるとコンテンツはつくれない

　ここでもうひとつ大切なポイントは「完璧なものを求めない」ということです。

　皆さんの周りには、完璧な資料ができていないからといって、〆切を守れない同僚や後輩はいませんか?

　そのような人は細かいところが気になって、次から次へと修正を繰り返すのですが、結局〆切に遅れて提出しても、上司から指摘がはいることもしばしば。誰にとっても完璧な資料など、ありえないのです。

　第三者が読んで、意味がまったくわからない教材ではさすがに問題が

ありますが、自分が納得できて誰かの役に立ちそうと思えたのであれ
ば、自信を持って販売してみましょう。

適切な販売価格とは?

　過去に実績がない人は、テキストのみの商材を 1000 円程度で売るこ
とから始めることをおすすめします。そこで購入者の声を聞いて改善し
ていき、内容や資料のクオリティを一段階上げられたと思ったら、1 万
円程度に。さらに個別面談やメール相談などの手厚いサポートも付けら
れる人は、最終的に 10 万円以上を目指してほしいなと思います。

　ここで注意してほしいのは、価格設定を安くしすぎないこと。

　仮に 100 円の商品が 100 本売れても、売上は 1 万円です。1 万円の商
品が 1 本売れても、売上は同じく 1 万円です。
　購入者数を増やすことも大切ですが、単価を上げても売れる商品をつ
くることはもっと重要です。

　あなたがかける時間に対して売上を最大化させたいなら、薄利多売は
絶対に避けるべきです。「価格以上の満足度をつくるには、どんな内容
にしたら良いか」を考えることに重きを置いてください。

　価格設定を上げることのメリットは、売上だけではありません。「そ
れなりの金額を支払うのだから、本気で取り組もう」と思う方に買って
いただけるのです。そして相手が本気だからこそ、こちらも最大限のサ
ポートをすることができ、結果を出すことができるのです。

　しかし、痛くも痒くもない安価な金額設定だと、こちらがどんなに頑

張っても、アドバイスどおりに動いてもらえないという事態になりがちです。サポートする側は疲弊し、購入者の悩みを解決することもできない悪循環が生まれてしまうのです。

コンテンツビジネスを始めるうえで 絶対に忘れてはいけないこと

あなたの扱う商品やサービスの分野には必ず大手がいるということを忘れてはいけません。大手は顧客数を増やしても、低価格でクオリティを担保することが可能です。資本力があり、薄利多売が成り立つからです。

しかし個人で同じことをした場合、顧客数が増えすぎると一人ひとりに割ける時間が少なくなるため、物理的に手厚いサポートはできません。必然的にクオリティを下げざるを得なくなるでしょう。

何かを教えるようなコンテンツの場合、顧客の9割以上が自走できる状態ではありません。必ずサポートが必要になります。

なので、コンテンツを設計するうえで、サポートは手厚くしておくべきなのです。となれば、自然と選択肢はひとつですよね。

「単価を上げて、クオリティも上げる」
　これしか正解はありません。

販売は人気プラットフォームを利用するべし

初心者におすすめの販売サイト

初めて商材を売る人には、noteとBrainがおすすめです。

いずれもテキストのみの商材をつくり、コンテンツの審査が通れば、販売することが可能です。こだわったデザインの資料をつくらなくても始められますし、比較的ハードルが低いと言えるでしょう。

noteに関して言えば、2022年4月時点の会員数は500万人以上で、多くの人が利用しているプラットフォームです。さらに年間売上の上位1000人のクリエイターは、平均で667万円を稼いでいて、累計売上1億円以上は28人もいます。

さらにnoteでコンテンツを買う人の月間平均利用額は2300円なので、良い商品に対してお金を払ってくれる人が集まっているメディアといえます。

匿名やニックネームで活動することも可能なので、まずはテキストで商材をつくって、挑戦するには最適なプラットフォームだと思います。

中級者におすすめの販売サイト

すでに情報商材を販売した経験がある人におすすめしたいのは、インフォトップ、インフォカートです。

note や Brain と違い、販売ページ（ブログ記事でも OK）の作成、コンテンツの PDF 化、特定商取引法に基づく表示（販売者名や住所など）の記載が必要です。

ただ、比較的手数料は安く、購入者は分割決済が利用できるサービスなので、高額商材を販売したいと考える方にはおすすめです。

中でもインフォカートは、購入者が分割決済を選択しても、出品者には手数料を差し引いた売上が一括で翌月に振り込まれるので、キャッシュフローが良いという利点があります。

note や Brain で実績をつくり、手応えを感じ始めたら、ぜひ利用を検討いただけたらと思います。

エピローグ

　私が「これからは、Xでの情報発信を自分のビジネスにしていこう！」と思ったのは、2020年1月。

　それまでプライベートで使っていたアカウントでのスタートでした。

　今でこそSNSマーケティングの会社を運営したり、看護事業を手がけたりする経営者ですが、元々の私は営業系の会社のサラリーマンです。

　要領がいいわけでもなく、突出して何かに長けていたわけでもない、いたって平凡な会社員で、新人時代には150件もの商談に行ったのに1件も成約できず、社内で歴代1位の最低記録を更新したこともあります。

　今の私とはだいぶイメージが違うかもしれませんね。

　そんな私ですが「Xで行こう！」と思ってからの頑張りは、異常とも言えるほどでした。

　何しろ、Xを始めた最初の日は900ポスト、その後3ヶ月間を数えても1万ポストはしていたくらいです。

　考えてみれば、1日で900ポストって、すごいですよね。

　20時間Xをやっていたとしても1時間で45ポスト。ほぼ1分に1ポストという状況を20時間続けるわけですから。しかも、そのあとも、1日あたり100以上のペースでポストしていたのですから、もはや、何かに取り憑かれていたとしか言いようがありません。

ところが、残念なことに、そんなに頑張っているのに思うような結果がついてこないのです。

　これには、さすがに凹みました。

　……というと普通の展開ですが、私は凹んでいるわけにはいきませんでした。
　何しろ、Ｘの情報発信だけで食べていくと決め、周囲にもそう啖呵を切ってしまっていたので、石にかじりついてでも成功しないわけにはいかなかったのです。

　毎日が試行錯誤の連続でした。
　ポストの内容、長さ、投稿時間を毎回変えてみたり、フォロワーの多いアカウントを探してリプライをしまくったり（もちろん、リプライの内容も全部違います）、あるいはリポストしてみたり……。思いつくものはほとんど試し、問題点を探り続けました。

　来る日も来る日も、１日100件以上のポストをしまくり、さすがに指も悲鳴をあげていましたが、ここでやめては水の泡。
　痛み止めを注射しながら、ひたすらＸにかじりついていました。

　そんなさなかに、ふと気がついたのが、言葉遣いでした。

　当時の私は、妙に固い、敬語を使ったポストが多かったのです。
　もしかしたらこの口調が、自分のプロフィールやキャラクターに合っていないのかもしれない。

　そう考えた私は、言葉遣いを改め、くだけた感じの口調にしてみたの

です。

　すると、たったそれだけのことでしたが……その効果は絶大でした。
　ポストをするたびにエンゲージメントは高まり、フォロワーも増え、確実に流れはいい方向に向かっていったのです。
　こうなればあとはこっちのものです。

　それまでに積み上げてきた経験をもとに、効果がありそうなポストを繰り出し、目標とするアカウントに積極的にコミュニケーションを取りに行き始めました。

　時は 2020 年 4 月。コロナ禍で初の緊急事態宣言が発出されたころでした。

　こんな話をすると「X の集客って、大変だな……」と思う人もいるかもしれませんね。
　たしかに難解で頭を悩ませるようなことはありませんが、正直に言えば、ラクにできることでもありません。

　一生懸命、休むことなくポストはしなくてはいけないし、結果を振り返り、うまくいっていなかったら新しいことを試し続けなければなりません。

　しかもかつての私のように試すことがどれもうまくいかず、カベにぶつかり、八方塞がりになってしまうこともあると思います。
　まあ、普通の人だったら、結構メンタルにこたえるかもしれません。

　しかし「全然うまくいかない。もうやめたい」と感じることがあった

ら、思い返してほしいことがあります。

　それは、そんなふうに頑張っていること自体に大切な意味があるということです。

　早く結果を出すことに執着していたら、思うような成果を出せないときには、自分がやっていることに価値がないように思えるかもしれません。

　しかしそれは違います。

　Xを通じて情報発信をしていこう、自分が持っている知識や情報を多くの人に伝えていこうと決めたときのことを思い出してください。

　そこから今に至るまで、うまくいったことも、ダメだったことも、すべて財産です。
　失敗したことがあれば、ダメな方法をひとつ覚えたことになります。
　新しい別の方法にチャレンジする機会ができたと思えば、ワクワクしてきますよね。

　そんなふうに、思いを実現するために積み重ねている経験には、無駄なことなど何一つないと、私は思います。

　イーロン・マスク氏によるX社買収以来、Xをめぐる状況は日々変わっています。
　それでも、Xは今や社会のインフラです。
　これから先、若干のチューニングはあるかもしれませんが、多くの人が情報発信をして、それを受け取った人が共感を示したり、他の人に拡

散していくという本質的な部分が変わることは、おそらくないでしょう。

　本書を読んで、自分のファンをつくるために本当に重要なことをしっかりとつかんでいる皆さんなら、どんな変化があっても、十分にその経験を活かせるはずです。

　本当に、最後まで読んでくださってありがとうございました。
　それでは、例の挨拶で最後を締めたいと思います。

せーーのっ
頑張ろうな!!

［著者］

門口 拓也（もんぐち社長）

株式会社 Intermezzo 代表取締役。
SNS マーケティングを学ぶ「eduGate」主宰。SNS 顧問は 13 社。
SNS マーケティング事業、プロモーション事業、LINE マーケティング事業、オンラインスクール事業、Web コンサル事業、訪問看護事業などを手掛ける。
自身も X（旧 Twitter）を通じて集客を行い、宣伝費ゼロで 3 年 10 ヶ月で 5 億円以上を売り上げる。
X のフォロワーは 9.9 万人。※ 2023 年 10 月時点

X：@monguchitakuya
Instagram：@mon_guchi

X 集客の教科書
500 フォロワーで稼げる人 10 万フォロワーで稼げない人

2023 年 12 月 4 日　初版発行

著　者／門口　拓也（もんぐち社長）
発行者／山下　直久
発　行／株式会社 KADOKAWA
　　　　〒 102-8177　東京都千代田区富士見 2-13-3
　　　　電話 0570-002-301（ナビダイヤル）
印刷所／図書印刷株式会社
製本所／図書印刷株式会社

本書の無断複製（コピー、スキャン、デジタル化等）並びに無断複製物の譲渡および配信は、著作権法上での例外を除き禁じられています。
また、本書を代行業者などの第三者に依頼して複製する行為は、たとえ個人や家庭内での利用であっても一切認められておりません。

●お問い合わせ
https://www.kadokawa.co.jp/（「お問い合わせ」へお進みください）
※内容によっては、お答えできない場合があります。
※サポートは日本国内のみとさせていただきます。
※ Japanese text only
定価はカバーに表示してあります。
© monguchi takuya 2023 Printed in Japan
ISBN 978-4-04-606342-7 C0034